JEUNESSE

MON BEL ORANGER

TITRES PARUS DANS LA COLLECTION
Mon bel oranger
CRÉÉE PAR ANDRÉ BAY ET DIRIGÉE PAR MARIE-PIERRE BAY

KATHERINE AYRES
Esclaves en fuite

FORREST CARTER
Petit Arbre

JEROME CHARYN
Une petite histoire de guerre

BERLIE DOHERTY
L'enfant des rues

LINDA DURRANT
Faucon blanc
Ma vie chez les Indiens

ALLAN W. ECKERT
La rencontre

LILLIAN EIGE
J'ai kidnappé Mister Huey

ALANE FERGUSON
Secrets

JAMES HENEGHAN
Les passagers de la dernière chance

ANNE HOLM
David, c'est moi

JULIE JOHNSTON
Sara la farouche

CAROLE MATAS
Lisa
Une lumière dans la nuit

BEN MIKAELSEN
Ils n'auront pas mon ours !

BARBARA O'CONNOR
Beethoven au paradis
Rupert Goody et moi

URI ORLEV
Une île, rue des Oiseaux

KATHERINE PATERSON
L'histoire de Jip

WILSON RAWLS
L'enfant qui chassait la nuit

PATRICK RAYMOND
Daniel et Esther

WENDY ROBERTSON
Pour venger mon copain

Isaac BASHEVIS SINGER
Un jour de plaisir

ELIZABETH GEORGE SPEARE
Le signe du castor

MARC TALBERT
Le pélerinage de Chimayo

SUE TOWNSEND
Journal secret d'Adrien, 13 ans 3/4

JOSÉ MAURO DE VASCONCELOS
Allons réveiller le soleil

RUTH WHITE
Le fils de Belle Prater

PATRICIA WILLIS
Danger sur le fleuve

KATHRYN WINTER
Katarina, l'enfant cachée

Note de l'auteur

L'histoire que vous allez lire
est la version légèrement romancée
d'un événement réel
qui a bien eu lieu
à l'époque et dans les lieux décrits ici.

Allan Eckert est né en 1931 à Buffalo, près de New York, aux États-Unis. Après avoir effectué ses études à l'université de Dayton et à celle de l'Ohio, il exerce les métiers les plus divers. À l'âge de vingt-cinq ans, il a déjà été pompier, facteur, cuisinier, trappeur, reporter spécialisé dans les affaires criminelles ou bien encore détective privé. À l'âge de vingt-neuf ans, il décide de se consacrer entièrement à l'écriture et ses quatre nominations au prix Pulitzer prouvent qu'il a trouvé sa voie. Inventant son propre style, il se spécialise dans ce qu'il appelle la « fiction documentaire » : des histoires issues de son imagination mais se déroulant à des moments-clés de l'histoire américaine et extrêmement bien documentées. Allan Eckert a l'art de rendre les sujets de ses romans historiques ou scientifiques très accessibles aux lecteurs. Il écrit aussi pour la jeunesse et remporte de nombreux succès. *La Rencontre* est une histoire vraie. Publié en 1971, le roman fut acclamé par la critique et remporta de nombreux prix. *La Rencontre* fait partie de ces rares livres jeunesse encensés par le public adulte qui en fit un best-seller. Traduit dans de nombreuses langues, *La Rencontre* est enfin publié en France.

Allan W. Eckert

LA RENCONTRE

L'histoire véridique
de Ben MacDonald

Traduit de l'anglais par Henri Theureau

Couverture illustrée par Henri Galeron

MON BEL ORANGER

HACHETTE
Jeunesse

Pour la joie et le bonheur
qu'elle a apportés à notre famille,
depuis cette merveilleuse journée
du six mai mille neuf cent soixante-cinq,
ce livre est dédié à ma fille bien-aimée
Julie Anne Eckert

L'édition originale de cet ouvrage
a paru en langue anglaise
chez Little, Brown and Company, Boston 1971 pour la première édition,
sous le titre *INCIDENT AT HAWK'S HILL*
© Allan W. Eckert, 1971.
© Hachette Livre, 2001.
43, quai de Grenelle, 75015 Paris.

Prologue

Ce sont les Indiens qui connaissaient le mieux cette puissante rivière coulant vers le nord. Près de sa source, les Sioux Dakotas l'avaient appelée rivière Boisée à cause des arbres denses qui poussaient le long de ses rives dans un pays où les forêts étaient rares. Les Indiens Crees, plus près de son embouchure, l'appelaient Eau Trouble, ce qui dans leur langue se disait Winnipeg. Puis vinrent les Blancs qui la baptisèrent rivière Rouge.

Le dernier et le plus important de ses affluents – elle

en reçoit vingt-trois – est l'Assiniboine, qui vient des régions sauvages du Saskatchewan, plus à l'ouest. À partir de leur confluent, la rivière Rouge devient un véritable fleuve, tout à fait impressionnant.

En cette année 1870, il y avait là une ville. En guise d'excuses aux Indiens Crees que l'arrivée des Blancs avait chassés, on lui avait donné le nom indien de la rivière : Winnipeg. C'était la plus grande ville à plus de sept cents kilomètres à la ronde, bâtie aux confins des terres vierges, ce qu'on appelle en Amérique la *Prairie*, un océan de hautes herbes, ponctué de petits îlots d'arbustes ou de formations rocheuses. Cette étendue sauvage commençait alors à céder la place à des champs, car c'était une terre très fertile, mûre pour la charrue et riche de tous les éléments nécessaires à la culture du blé, la base de l'alimentation des Blancs.

Moins de trente kilomètres au nord de Winnipeg, cette année-là, la Prairie était encore pratiquement intacte. Ici et là, on apercevait les rectangles bien nets des premiers champs de blé, mais pour l'essentiel la plaine et ses collines douces étaient encore habillées de leur robe originelle : une savane « d'herbe à bison », ponctuée d'amas de rochers nus. Sur l'une de ces collines on apercevait un groupe de bâtiments : une maison assez grande flanquée d'une grange et de plusieurs hangars, abris et écuries. Le propriétaire, William MacDonald, avait tout construit de ses mains.

Il était arrivé là vingt ans plus tôt, son épouse à ses

côtés, après avoir suivi la rivière Rouge vers le nord depuis Winnipeg. Ils étaient partis de Toronto, où ils venaient de se marier. Leurs projets étaient vagues, mais tous les deux étaient sûrs que, quelque part, cet endroit les attendait et qu'ils le reconnaîtraient du premier coup d'œil.

Le voyage avait été long et éprouvant, et ils s'étaient attardés quelques jours à Winnipeg, sans laisser voir leur déception lorsqu'ils apprirent que la plupart des terres avoisinantes avaient déjà été occupées et mises en culture, spécialement celles qui se trouvaient à l'est, au sud et à l'ouest de la ville. C'est donc droit vers le nord qu'ils étaient partis, en suivant la rive ouest de la rivière Rouge, et ce n'est qu'au bout de deux jours de marche dans l'immensité ondoyante de la Prairie qu'ils trouvèrent enfin des étendues disponibles.

Tard dans l'après-midi, au bout d'une journée harassante à marcher au pas lent de leurs bêtes, ils avaient fait halte, laissant souffler les bœufs fatigués de tirer le lourd chariot bringuebalant sous sa grande bâche blanche. Debout, se tenant par le bras sans un mot, cet homme et cette femme avaient pris le temps de contempler le paysage, fascinant de solitude et de calme.

C'était un beau couple. William MacDonald, issu d'une robuste souche écossaise, était grand et anguleux ; son visage aquilin, taillé à coups de serpe, lui donnait l'air indien bien qu'il n'eût pas de sang indigène. Homme d'une certaine éducation, il avait

13

des mains épaisses et calleuses, résultat d'un choix plus que d'une nécessité : il aimait la terre, il aimait la travailler et la faire fructifier. Il était plutôt mince, mais il dégageait une impression de force tranquille, comme d'ailleurs son épouse, Esther. Femme intelligente et douce, elle avait une tête de moins que son mari, les cheveux sombres et une beauté que même les fatigues de ce long voyage n'altéraient pas. Et s'il y avait dans son cœur, ce qui eût été bien normal, la moindre appréhension pour ce qui les attendait dans les jours à venir, elle n'en laissait rien paraître.

C'est alors qu'un cri – clair, perçant, éclatant comme un coup de trompette – leur avait fait lever la tête : un magnifique faucon à queue rouge tournait dans le ciel avec grâce, sans effort, toutes ailes déployées. Ils s'étaient regardés, William et Esther MacDonald, et toujours sans avoir échangé un mot étaient tombés d'accord : c'était là ! Cette colline était l'endroit où, enfin, ils pourraient plonger leurs racines. Le jour même, ils la baptisaient Hawk's Hill – la colline du Faucon – en l'honneur du grand oiseau de proie qui les y avait accueillis.

Pour commencer, ils construisirent une cabane de rondins et cultivèrent un espace relativement réduit tout autour. Mais, les années passant, la cabane devint une maison spacieuse flanquée d'une grange imposante, qui servait aussi d'écurie, et d'autres bâtiments avaient suivi, hangar, bergerie, poulailler... chaque nouvelle construction enracinant un peu plus la famille MacDonald dans le sol de la colline. Petit à petit, ils achetèrent des moutons, des chevaux, une bonne vache à lait et, de même qu'ils avaient adopté cette terre, de même la terre les adopta et ils ne firent plus qu'un avec elle, l'aimant de cet amour jaloux à quoi l'on reconnaissait les premiers colons, ceux qu'on appelle encore les pionniers.

Des enfants naquirent : d'abord John, en 1854, suivi de Beth, en 1858, et de Coral, en 1861. Benjamin, le héros de notre histoire, était né trois ans plus tard.

Il est étrange qu'en cette période de grand développement pour le pays, alors que se créaient dans le monde des États et des empires, alors que la civilisation se frayait à grand-peine un chemin dans les terres encore sauvages, le plus grand souci des MacDonald ait été leur dernier fils, un petit garçon de six ans.

1

Benjamin MacDonald suivait une souris.

Il n'y avait là rien d'extraordinaire : Ben suivait souvent des souris. À vrai dire, il suivait aussi les oiseaux, lorsque ceux-ci se promenaient sur le sol, bien sûr, et les écureuils rayés qui creusent des terriers, et les lièvres bruns qui sont blancs en hiver, et tous les autres animaux qui voulaient bien le laisser faire. Parfois, il suivait même des insectes. Le plus étonnant n'était pas tant qu'il soit en train de suivre cette souris, mais plutôt que, de toute évidence, elle se laissait suivre sans s'affoler ni s'enfuir.

Le petit rongeur suivait son bonhomme de chemin, s'arrêtant de-ci, de-là, pour renifler le sol de la grange ou un grain de blé à grignoter, se dressant de temps en temps sur ses pattes postérieures pour inspecter les alentours tandis que son nez et ses oreilles, à l'affût, frémissaient délicatement. Et le petit garçon – cela paraissait incroyable – faisait exactement la même chose, imitant chacun des mouvements de la souris. À quatre pattes, un mètre derrière elle, il avançait sans qu'elle s'en inquiète, piquant du nez pour renifler l'endroit qu'elle venait de renifler sur le sol ; s'accroupissant, un grain de blé au bout de ses doigts joints, pour grignoter lui aussi tandis qu'elle grignotait le sien. Et chaque fois qu'elle s'arrêtait, se dressait sur son train arrière, le nez au vent et les oreilles tendues, Ben faisait de même, accroupi, les pieds bien à plat, les genoux repliés, les poignets sur la poitrine, les mains souples, le nez plissé tandis qu'il reniflait les alentours, la tête inclinée de côté pour mieux tendre l'oreille.

Soudain, la souris laissa échapper un trille aigu. Aussitôt, avec un talent d'imitation étonnant, Ben émit exactement le même son, à peine un peu plus fort. La petite bête leva la tête et le regarda, tout comme elle l'avait regardé une douzaine de fois depuis que, de la porte de la grange, l'enfant s'était mis à la suivre. Ben la regardait aussi, la tête inclinée exactement comme elle.

Cet étrange petit jeu aurait pu durer encore longtemps si personne n'était venu l'interrompre. Mais hélas ! un pas lourd s'approchait de la porte et bientôt la voix familière de William MacDonald résonna jusqu'au fond de la grange obscure.

« Ben ? Ben ! Je t'ai vu entrer, alors ne fais pas semblant de ne pas être là et sors tout de suite ! »

Au son de la voix de son père, le petit garçon avait tourné la tête et maintenant, la petite souris avait disparu. Il fit la moue, se releva à regret et se dirigea vers la porte. Il sortit, en plissant les yeux dans la lumière matinale. Entre la grange et la maison se tenait sa mère. Ils la rejoignirent.

« Il était encore dans la grange, laissa tomber MacDonald en croisant le regard de sa femme. À quatre pattes, comme d'habitude. » Il avait l'air écœuré.

Esther MacDonald secoua vaguement la tête en direction de son mari, s'accroupit et tendit les bras à Ben avec un sourire plein de tendresse. Il vint à elle sans hésitation et lui passa les siens autour du cou tandis qu'elle le serrait un instant contre elle. Elle lui embrassa la joue et lui sourit encore, prit sa petite main dans les siennes et la pressa doucement. Puis elle tourna la tête en direction de la piste qui partait de la ferme vers l'est. À quelques centaines de mètres, sur cette route primitive où les chariots avaient creusé des ornières, un cavalier approchait au pas, accompagné d'un chien qui trottait à ses côtés.

« C'est M. Burton qui vient nous voir, dit-elle. Ton père l'a rencontré en revenant de Winnipeg la semaine dernière. Il a dit qu'il passerait sans doute ce matin, avant midi. C'est lui notre plus proche voisin maintenant et ton père voulait nous le présenter. Tu sais, Ben, ça nous ferait plaisir que tu t'intéresses un peu aussi aux gens. Tu accepteras de lui serrer la main comme un vrai petit homme ? Tu feras ça pour ta maman ? »

Ben lança un regard au cavalier, puis dévisagea de nouveau sa mère. Il secoua brièvement la tête, puis baissa le front, l'air buté. Esther MacDonald poussa un soupir.

« Qu'est-ce que tu espérais ? demanda son mari en cachant mal son exaspération. Un miracle ? C'est vrai qu'il faudrait au moins ça pour le faire changer. »

Esther fronça les sourcils, fit non de la tête et se releva en murmurant : « Will, ce n'est qu'un enfant. Donne-lui le temps. Il apprendra, mais il lui faut du temps. »

Ce fut au tour de MacDonald de soupirer, d'un air résigné.

« Je sais, je sais bien. Tu n'arrêtes pas de dire ça et tu as sans doute raison. Mais c'est dur d'être patient. En attendant, voyons ce que veut Burton. »

George Burton arrivait, confortablement calé sur sa selle, se balançant au pas de son cheval. Le chien qui l'accompagnait était un énorme corniaud d'un gris jaunâtre indéfinissable, qui n'avait pas l'air commode. À mesure qu'ils approchaient, il devint évident que le cavalier ne maîtrisait l'animal que par une litanie de menaces à voix basse.

Burton était un grand escogriffe à la poitrine massive, aux mains impressionnantes. Une barbe touffue et dense couvrait le bas de son visage et ses sourcils étrangement épais étaient en broussaille. Cette barbe et ces sourcils masquaient un nez d'une grosseur disproportionnée et un menton fuyant. Son apparence débraillée, son air rude et fruste n'avaient en fait rien de vraiment surprenant chez ce chasseur de fourrures, ce trappeur professionnel, pourtant, il mettait la plupart des gens mal à l'aise par sa façon de ne jamais les regarder droit dans les yeux en leur parlant, ce qui lui donnait un air hypocrite et sournois.

MacDonald n'aimait pas beaucoup Burton, bien qu'il fît l'effort de se dire qu'après tout, il ne le connaissait que depuis peu et ne lui avait parlé que deux fois avant leur dernière rencontre : il serait plus honnête d'attendre un peu avant de le juger. Il y avait pourtant chez cet homme quelque chose qui ne passait pas, une espèce de bonne humeur qui sonnait faux, une jovialité forcée qui était irritante.

Le fermier avait croisé Burton, toujours accompagné de son chien, la semaine précédente, alors qu'il revenait de Winnipeg où il était allé faire des provisions. Burton, lui, s'y rendait et avait l'air pressé. MacDonald, qui avait stoppé son attelage, prêt à bavarder un moment avec son nouveau voisin, s'était trouvé un peu vexé que l'autre ne prenne pas le temps de s'arrêter, se contentant de lui lancer au passage qu'il était en retard. Le chien avait montré les dents en poussant un grognement sourd. Burton l'avait fait taire d'une bordée de jurons mais sans freiner son cheval, et ce n'est qu'après avoir croisé MacDonald qu'il s'était retourné pour lui lancer par-dessus l'épaule qu'il viendrait le voir la semaine suivante, le lundi matin, pour lui parler d'une affaire. Voilà encore une chose que le fermier digérait mal : Burton ne lui avait pas demandé son avis ; il avait dit qu'il passerait, un point c'est tout.

Honnêtement, MacDonald était prêt à reconnaître que son antipathie pour le trappeur était en partie due à des rumeurs. On prétendait, en ville autant que dans le voisinage, que Burton était un lâche et une brute ; un bon à rien. Il avait travaillé pendant des années pour les gens de la compagnie de la Baie d'Hudson qui avaient fini par le congédier pour malversations. D'après les diverses histoires qui circulaient à son propos, il semblait qu'à l'origine il soit venu du Québec et qu'il ait ensuite été longtemps trappeur à son compte dans le nord et l'ouest de Winnipeg. Mais sa brutalité et sa cruauté envers les Indiens avaient fini par lui rendre difficile l'accès des terrains de chasse les plus éloignés : il aurait même risqué sa vie à s'y aventurer seul. C'était là, disait-on, la raison pour laquelle il emmenait partout avec lui le grand chien gris-jaune : on racontait que ce molosse était un tueur et que, au moins une fois, il avait égorgé un Indien venu rôder autour de leur bivouac.

MacDonald se méfiait de ce genre d'histoire, mais il se méfiait aussi de ce chien hargneux. Burton, donc, aurait abandonné son métier de trappeur pour un emploi d'acheteur-expert au service de la compagnie de la Baie d'Hudson. Il avait tenu ce poste six ou sept ans jusqu'à ce que l'on découvre qu'il avait escroqué d'abord les vendeurs, à qui il achetait leurs fourrures à vil prix, et puis la compagnie, à qui il les revendait dix fois ce qu'elles valaient. De toute évidence il avait amassé suffisamment d'argent à ce jeu malhonnête pour pouvoir, le jour où il fut mis à la porte, déclarer qu'il allait s'installer comme *gentleman farmer*. Il avait immédiatement acheté la ferme Cecil, qui se trouvait à moins de dix kilomètres des MacDonald, avec une clôture commune au sud. Cela faisait de lui le plus proche voisin des fermiers, qui auraient préféré voir rester les Cecil, avec qui ils s'entendaient bien. Mais Edgar Cecil s'était gravement estropié en tombant de cheval et il avait estimé plus sage, pour lui et sa famille, de vendre et de repartir vers l'est et les grandes villes. MacDonald aujourd'hui regrettait de ne pas lui avoir acheté cette terre fertile, comme il avait été tenté de le faire alors. L'idée d'avoir Burton comme voisin ne l'enchantait guère. Mais, évidemment, à cette époque il ne connaissait même pas le trappeur. En tout cas, il était trop tard maintenant pour les regrets. MacDonald chassa ces sombres pensées de son esprit, bien décidé à faire tout son possible pour maintenir avec le nouveau venu des relations de bon voisinage. C'est pourquoi, tandis que Burton tirait sur les rênes avant de mettre pied à terre, William MacDonald affichait un sourire bien plus amical que ne l'étaient ses sentiments réels, tout en s'avançant pour serrer la main du visiteur. Il nota au passage que le grand chien restait debout, figé, en alerte près du cheval.

« Voici mon épouse Esther », dit MacDonald.

Burton, constata-t-il avec plaisir, avait au moins la politesse d'ôter son chapeau et d'incliner la tête en guise de salut.

« John, Beth et Coral, nos aînés, sont à l'école à North Corners, ajouta MacDonald. Mais voici notre petit dernier, Benjamin.

— Benjamin, hein ? » dit Burton avec un large sourire.

Il fit un geste vers le garçon lorsque soudain le chien bondit en direction de Ben. Cela se passa si vite que tout le monde fut pris de court.

« Lobo ! » lança Burton sèchement. Sa main tendue manqua de peu le chien qui l'effleura au passage et s'arrêta pile devant Ben. Il retroussa ses babines et montra des dents jaunies, tandis qu'un grognement à donner la chair de poule montait de sa gorge. Et soudain, à la surprise générale, le chien se radoucit et cessa de gronder ; sa queue, basse, esquissa un ou deux battements timides et il poussa un petit gémissement à peine audible.

Ben n'avait pas montré la moindre trace de peur. Comme le chien s'approchait, il quitta les jupes de sa mère et fit un pas à sa rencontre. Lorsque Lobo s'arrêta, Ben se mit à quatre pattes et poussa un gémissement identique à celui de l'animal. Dans cette position, il était tellement plus petit que le chien qu'il devait basculer la tête pour le regarder. C'est alors que, totalement insoucieux des adultes figés autour de la scène, il leva la tête et vint poser son nez contre le museau du chien. Lobo gémit à nouveau, mais cette fois sur un ton plus grave et plus modulé. Immédiatement Ben reproduisit exactement la plainte sourde de l'animal.

Tout cela s'était déroulé en quelques secondes. Burton avait pâli, mais il finit par réagir et, s'avançant à grands pas, il prit le chien par la peau du cou et le projeta violemment vers le cheval en hurlant : « Assis ! Assis ! Et reste là ! » Lobo obéit, et Burton se retourna vers les MacDonald.

« Seigneur Dieu ! J'aurais jamais cru ! dit-il, perplexe. Lobo, c'est moi qui l'ai dressé. Jamais il n'aurait laissé qui que ce soit l'approcher d'aussi près, à part moi. Ça m'a flanqué une belle trouille, ça je le jure. J'étais sûr comme deux et deux font quatre qu'il allait happer le gamin à la gorge quand l'autre est venu lui souffler dans le nez. » Il secoua sa crinière hirsute et regarda Ben, qui s'était relevé, les yeux toujours fixés sur le chien. « J'en mettrais pas ma main au feu, parce que mon Lobo, il a pas inventé l'eau chaude, mais, quand même, je suis sûr qu'il a dû se rendre compte que le gamin était à peine un bébé. Quel âge ça lui fait donc ? Trois ans ? »

MacDonald, un peu pâle car il était encore sous le coup de l'émotion, dit, les dents serrées :

« Il a six ans.

— Six ans ! »

Burton semblait stupéfait. De fait, physiquement, Ben en paraissait trois ou quatre plutôt que six. Il était non seulement d'une taille exceptionnellement petite pour son âge – il mesurait à peine un mètre – mais il était en plus très menu. Burton, de son grand pas lourd, s'approcha de Ben, le dominant de toute sa taille et soulignant, par contraste, l'apparence chétive de l'enfant.

« Six ans ! » répéta-t-il en attrapant Ben aux aisselles

pour le soulever à bout de bras. « Sacrebleu, mon garçon, tu n'es pas plus lourd qu'une poupée de son tout habillée. »

Il le fit rebondir une ou deux fois entre ses grandes mains, comme on fait pour soupeser un sac ou un gibier, puis secoua la tête en ajoutant :

« Moi je vous le dis, ce loupiot-là y pèse guère plus qu'un blaireau adulte, et j'en ai piégé, des blaireaux. Il ne fait même pas le poids d'un beau castor. »

Le trappeur sentait fort ; son odeur donnait à Ben la nausée et sa façon de le lâcher dans le vide pour le rattraper aussitôt l'effrayait mais, bien qu'il tentât de se dégager en gigotant, il ne pipait mot. Le contact et la force de l'étranger, son odeur de fauve et sa voix de stentor, tout cela terrifiait l'enfant. Il se sentait encore plus minuscule dans les mains de l'homme, et se débattait de plus belle, désespérément, un peu comme un petit animal sauvage pris au piège. William MacDonald avait encore pâli et semblait sur le point d'intervenir lorsque le trappeur remit le petit garçon sur ses pieds, puis se donna une grande claque sur la cuisse en éclatant de rire, tandis que Ben s'enfuyait pour disparaître dans la grange.

Sans s'arrêter, Ben grimpa à l'échelle qui menait au fenil et s'enfouit sous le foin empilé contre le mur de façade. De là, à travers une large brèche entre les planches du mur, il pouvait épier les adultes dans la cour. George Burton riait encore mais il s'interrompit brusquement : il avait enfin remarqué que ni Esther ni William MacDonald ne partageaient son hilarité.

« On dirait que j'ai fait peur à votre bout de chou. Désolé. C'était pas mon intention de l'effrayer. » Il n'avait pas l'air désolé du tout, et reprit aussitôt : « Mais ça alors, j'en reviens toujours pas qu'il soit arrivé à faire copain avec Lobo du premier coup. Vous avez vu ça ? Crébondieu, mais il lui parlait ! Ou en tout cas, c'était tout comme. Même qu'on aurait dit qu'il lui *répondait* ! Où est-ce qu'il a bien pu apprendre ça ? »

Esther prit la parole :

« Ben aime les animaux. Tous les animaux. Et il semble que les animaux l'aiment aussi. On dirait qu'ils comprennent qu'il ne leur veut pas de mal.

— Les animaux sauvages aussi ? demanda Burton sur un ton sceptique.

— Ma foi... oui », dit Esther comme si elle regrettait d'en avoir déjà trop dit. Mais elle reprit : « Ils n'ont pas non plus peur de lui. Il arrive à les approcher d'assez près.

— Et il leur parle, alors ? »

Esther était mal à l'aise, et elle essaya de prendre un ton léger, qui sonnait faux :

« Je ne sais pas. Il imite leurs cris, leurs voix, mais... » Elle ne termina pas sa phrase.

Burton fit claquer sa langue : « Il parle aux bêtes ! » répéta-t-il plus pour lui-même. Puis il tourna son regard vers MacDonald et ajouta :

« Alors vous dites qu'il a six ans ? Ça, si vous étiez pas

son père, je l'aurais jamais cru ! À vue de nez, il en fait à peine la moitié.

— Il a six ans », répéta MacDonald un peu sèchement. Ce Burton était d'une délicatesse de butor. « Il est petit pour son âge, mais il a six ans passés. Il est un peu sauvage aussi, parce qu'il ne voit jamais grand monde à part la famille. Vous m'avez dit l'autre jour que vous vouliez me voir pour affaire ?

— C'est exact, MacDougall, je me demandais...

— MacDonald, corrigea le fermier. MacDonald, pas MacDougall.

— Décidément, je suis bête comme un Indien, dit Burton en se frappant une nouvelle fois la cuisse du plat de la main. On peut dire que je les accumule aujourd'hui. Comme présentations, c'est raté. Je vous fais mes excuses, à vous et à votre dame, encore un coup. La raison de ma visite, MacDonald, c'est que je me demandais si vous posiez des pièges sur vos terres. »

Le fermier secoua la tête.

« Non, on ne fait que de la culture. » Il semblait avoir retrouvé un peu de son amabilité naturelle. « Surtout du blé, et un peu de légumes. On a quelques moutons aussi. Pourquoi ?

— Eh bien voilà : maintenant qu'on est voisins et tout ça, si vous êtes ni chasseur ni trappeur, je veux dire si les fourrures et les peaux vous intéressent pas plus que ça, je me demandais si vous me laisseriez poser mes pièges et mes lacets derrière mes limites, sur vos terres. »

MacDonald fut surpris.

« Mais je croyais que vous vous étiez mis à la culture ?

— Oh ! J'ai bien essayé un peu, répondit Burton en grimaçant. Mais on dirait que j'ai pas vraiment la main verte. On se refait pas. Et puis je dois être trop vieux pour faire le fermier à cette heure. Enfin, je vais quand même continuer à planter un peu, mais jamais autant que le vieux Cecil avant moi. Je sais pas comment le bonhomme tout seul arrivait à cultiver une pareille surface. Et puis de toute façon, avec le lumbago que je traîne, je trouve que la terre est trop basse. Alors je compte vivre avec le peu que j'ai eu la chance de mettre de côté, plus ce que je me débrouillerai pour piéger dans le coin. Ah ! Ça sera plus la trappe comme je l'ai pratiquée dans ma jeunesse mais, dans un rayon de huit-dix lieues, je devrais quand même pouvoir mettre un peu de beurre dans la soupe. Et c'est sûr que ça me faciliterait la tâche si vous me laissiez déborder sur vos terres. »

William MacDonald ne répondit pas immédiatement. Il prit le temps d'évaluer tout ce qu'impliquait le requête de Burton. Le trappeur lui était de plus en plus antipathique et il était tenté de refuser. Esther regardait son mari sans rien dire. Au bout d'un moment, il hocha vaguement la tête, puis se mit à parler lentement.

« Honnêtement, je dois bien reconnaître que si vous installez vos pièges en passant sur mes terres, ça ne changera rien pour moi. Mais je préférerais que ça reste à bonne distance de la maison, pour que Ben ne risque pas de mettre les pieds dedans et de se blesser.

— Eh bien ça, on peut dire que c'est vraiment

aimable de votre part. Si, si, vraiment aimable. Et vous faites pas de souci pour le petit. Il risquera rien. Je compte pas installer mes collets à moins d'une bonne lieue de chez vous, je veux dire d'ici. Ça vous convient-il ?

— Ma foi, je crois que oui. Mais pas plus près. » Mac-Donald fit une pause puis, d'un ton un peu forcé, ajouta : « Mais, je manque à tous mes devoirs. Voulez-vous entrer manger et boire quelque chose ?

— Des voisins comme vous, on n'en fait plus ! » Le gros rire de Burton retentit à nouveau. « On peut dire que j'ai de la chance ! Mais non, merci, je veux pas abuser. Et puis, faut qu'on y aille ; le camarade Lobo et moi, on a encore des choses à faire. » Il souleva son chapeau en direction d'Esther : « Ravi de vous avoir connue, madame. Je suis pas homme à oublier votre amabilité. »

Il salua MacDonald de deux doigts au bord du chapeau, et se hissa en selle avec une aisance étonnante chez un homme aussi massif. « Lobo, on y va ! » ordonna-t-il au chien qui n'avait pas bougé. Puis, après avoir adressé un dernier salut de la tête au couple immobile, il tira un peu brutalement sur les rênes pour faire pivoter le cheval, et il partit au grand trot entre les ornières de la piste. Le grand chien gris-jaune courait à leur côté sans effort.

William et Esther les regardèrent s'éloigner. Sans se tourner vers son mari, celle-ci, d'une voix douce, lui dit :

« Crois-tu que tu aies bien fait d'accepter ? Après tout ce qu'on nous a raconté sur lui ? Je n'aime pas cet homme, Will. Il... il me fait peur. »

MacDonald lui lança un bref regard et secoua la tête.

« Je n'ai encore jamais condamné un homme sur la foi de ce qu'on pouvait raconter dans son dos. Tout homme a le droit d'être jugé sur ses actes, et non pas sur ce qu'on dit de lui. »

Esther rougit légèrement mais le regarda droit dans les yeux.

« L'impression qu'il m'a faite n'a rien à voir avec les racontars. Il ne me plaît pas, c'est tout. Et son chien non plus. En fait, ce chien m'a épouvantée. Je suis sûre qu'il n'attend que l'occasion de sauter à la gorge des gens. Et c'est lui qui l'a dressé. Il l'a dit. Et puis sa façon d'attraper Ben... de le secouer comme un paquet de linge... ça m'a terrifiée. Pas toi ?

— C'est vrai, je n'ai pas beaucoup aimé ça. Mais bon... c'est un solitaire, un maladroit, il ne connaît rien aux gosses. Il essayait d'être gentil avec le petit. D'ailleurs, il s'est excusé de l'avoir effrayé. »

MacDonald secoua la tête en soupirant.

« Et puis, à vrai dire, il m'est arrivé de terrifier Ben presque autant que Burton ; alors je ne vois pas comment je pourrais retenir ça contre lui. »

Il s'arrêta, mais comme Esther ne disait rien, il reprit :

« Quant à laisser le bonhomme poser des pièges sur nos terres, je ne vois pas où est le mal. Il n'y a pas grand-chose à prendre autour d'ici. Les seuls castors que nous ayons sont tout au nord, dans les bois de Wolf Creek. Là-haut, il trouvera peut-être aussi une ou deux martres, deux ou trois loutres, mais ici... » MacDonald désigna la

Prairie qui les entourait : « ... il ne risque pas de prendre grand-chose. Sauf peut-être quelques loups, des renards autour des colonies de chiens-de-prairie, ou encore des blaireaux, ce qui ne serait pas pour me déplaire. Tu sais bien que nous avons déjà dû abattre deux chevaux qui s'étaient estropiés dans des trous à blaireaux.

— C'est vrai, reconnut Esther. Je me laisse emporter par ma première impression. J'avoue que j'ai détesté cet homme immédiatement. Sans parler de son chien.

— Je ne peux pas dire qu'ils me soient particulière-ment sympathiques ni l'un ni l'autre mais, Esther, reconnais que Burton ne demandait pas la lune, et le moins qu'on puisse faire pour commencer, c'est d'essayer d'être bons voisins. Après tout, il est peut-être là pour longtemps, et ça ne rimerait à rien de se le mettre à dos dès le début pour si peu de chose. »

Elle allait parler mais il leva la main et reprit :

« Je sais, je sais. Tu penses encore à sa façon d'empoi-gner Ben et à la frayeur qu'il lui a faite, mais ça n'était que de la maladresse et, si Ben a eu peur, c'est plus sa faute que celle de Burton. Pour moi, il aurait été normal qu'il ait plus peur du chien que du bonhomme. C'était parfaitement idiot de se mettre à quatre pattes devant ce molosse. (Il secoua la tête d'un air excédé.) Je ne sais pas ce qu'on va faire de ce gamin.

— Will, je t'en prie, ne parle pas comme ça. (Elle posa une main légère sur le bras de son mari.) Ben a passé toute sa vie ici, à Hawk's Hill, sans jamais voir personne. C'est normal qu'il soit sauvage avec les gens. Ça lui passera. Tu verras, quand il commencera l'école, il finira par s'ouvrir aux autres. »

MacDonald, l'air buté, serra un poing qu'il frappa dans la paume de son autre main.

« Non, ça c'est ce qu'on se dit depuis le début, mais je n'y crois plus. Esther, il faut regarder les choses en face, il y a quelque chose d'autre. Il n'est pas seulement petit pour son âge et sauvage avec les gens. Pourquoi est-ce qu'il ne parle pas, sauf à toi ou à John, et encore, pas souvent ? Pourquoi est-ce qu'il fiche toujours le camp ailleurs, tout seul, sans rien dire, comme s'il avait peur de nous ? Pourquoi est-ce qu'il n'est jamais avec nous lorsqu'on fait des choses ensemble, en famille ? Esther, il a quand même six ans ! Et il est comme ça depuis tout petit, et depuis ses quatre ans on se dit qu'il va y avoir un déclic, mais toujours rien. Je ne crois pas que l'école arrangera grand-chose. On n'arrive pas à communiquer avec lui, c'est tout. Comment pourrait-il changer s'il refuse d'écouter, refuse de parler, s'il refuse de faire quoi que ce soit ? Dès qu'on lui adresse la parole, il prend son air apeuré puis disparaît !

— Mais, Will, il est si petit !

— Justement ! Il est si petit que j'aimerais bien savoir comment il va réagir, à l'automne, quand on l'enverra à l'école de North Corners, et que tous les gosses de sa classe le domineront d'une bonne tête... et je ne parle pas de ceux des autres classes ! Esther, ce gamin pèse tout juste quinze kilos, alors qu'il devrait en faire quasiment le double. Il arrive à peine à l'épaule des enfants *normaux* de son âge !

— William ! »

Le mot lui avait échappé et MacDonald le regretta aussitôt.

« D'accord, dit-il rapidement. Je voulais seulement dire que les enfants de son âge, *en moyenne*, sont tellement plus grands... »

Soudain, il reprit, exaspéré :

« Oh, et puis, à quoi cela sert-il de se raconter des histoires ? Il n'est pas normal, Esther, et nous le savons bien tous les deux, que tu veuilles l'admettre ou pas. Et ça n'est pas seulement physique, c'est mental aussi. Regarde comme il se comporte avec les animaux... Regarde aussi comment les animaux se comportent avec lui... les animaux sauvages autant que ceux de la ferme. Même eux se rendent compte qu'il est différent. Regarde comment le chien de Burton a réagi. Il ne faut pas se voiler la face, on sera bien forcés un jour...

— Non ! coupa Esther d'une voix altérée. Non, je refuse d'entendre ça, Will. Je refuse ! Il est petit, oui. Il est sauvage, timide et silencieux, oui. Mais écoute-moi bien, William MacDonald, notre Benjamin n'est pas anormal. Il a besoin de notre compréhension, de notre amour, de notre aide ; nous n'avons pas le droit de le condamner ni de désespérer de lui. »

Elle fit trois pas pour se planter face à son mari et, les poings sur les hanches, elle continua :

« Tu te plains qu'il te regarde avec de la peur dans les yeux. Je sais que c'est vrai, je l'ai vu, et ça me déchire le cœur à chaque fois, mais as-tu jamais pris le temps de te demander pourquoi ? As-tu jamais essayé de parler avec lui ? »

Il allait objecter, mais elle leva la main.

« Attends. Je n'ai pas dit de lui *parler*, mais de parler *avec* lui. Est-ce que tu as jamais essayé de le comprendre ? Est-ce qu'il t'est arrivé de lui donner la parole ? Est-ce que tu as jamais vraiment fait l'effort de l'écouter ? »

William MacDonald ne disait plus rien.

« Lorsque tu lui parles, ce qui n'arrive pas souvent, tu lui donnes des ordres. Tu es là, à le dominer de toute ta taille comme un géant, les mains toujours calées derrière ton dos : on dirait que tu as peur de le toucher, et tu lui dis : Fais ci, fais ça ! Est-ce que tu fais jamais l'effort de te mettre au moins un peu à sa portée, à son niveau ? Te rappelles-tu seulement la dernière fois où tu t'es penché pour lui parler ? Et la dernière fois où tu lui as tendu les bras ? Je pourrais compter sur les doigts de la main les fois où tu l'as pris sur tes genoux depuis qu'il marche. Est-ce que tu te souviens de lui avoir jamais fait le moindre compliment, peu importe pour quoi, même pour trois fois rien, mais un vrai compliment comme les enfants ont besoin d'en entendre ? »

William MacDonald avait rarement vu Esther s'emporter contre qui que ce soit, et jamais elle ne s'était vraiment mise en colère contre lui, mais cette fois c'était pour de bon. Pour lui, c'était un choc, et il en restait muet de surprise, au point qu'il ne se rappelait plus très bien ce qui avait pu provoquer un tel éclat. Le regard dur, les yeux étincelants, elle se dressait devant lui bien droite et, bien qu'elle eût une bonne tête de moins que lui, il se sentait rapetisser, dominé par autant d'indignation. Et elle n'avait pas fini.

« Est-ce que tu as jamais donné à Ben de ton temps, de ton attention, de toi-même ? John est ton fils, Will, mais ce n'est pas ton fils unique. Benjamin aussi est un MacDonald. De tout cet amour que tu portes à John, est-ce qu'il ne reste pas quelques miettes à partager avec Ben ? Est-ce que tu ne pourrais pas le traiter un peu plus comme tu traites Beth ou Coral ? Ben fait partie de la famille, il est la chair de ta chair autant que les trois autres ! »

Elle s'arrêta brusquement, submergée par l'émotion, ses épaules secouées de sanglots silencieux. William, timidement, se rapprocha et l'entoura d'un bras tandis qu'elle enfouissait son visage contre son épaule. Ils restèrent ainsi plusieurs minutes, puis elle leva la tête et le regarda. La colère avait reflué de son visage, mais ses yeux étaient gonflés et rouges. Lorsqu'elle se remit à parler, elle était plus calme.

« Ben te fuit, et parfois il te regarde comme s'il avait peur de toi, c'est vrai, mais je l'ai aussi vu t'observer à ton insu, et il y avait alors sur son visage une attention, une admiration, un amour qui t'auraient brisé le cœur. Je l'ai vu te suivre, sans que tu t'en aperçoives, imitant chacun de tes gestes, essayant d'être comme toi. Puis je l'ai vu s'asseoir et pleurer tout seul dans son coin. »

Sa voix se brisa un instant, mais elle reprit son souffle et continua :

« Tu te demandes ce qui se passe entre lui et les animaux. Je n'en sais rien, en tout cas pas plus que toi. Pourquoi les bêtes sauvages le laissent-elles venir tout près, les toucher même, alors qu'elles s'enfuient à notre approche ? Je ne sais pas. Mais il se pourrait bien que, sans qu'on comprenne ni pourquoi ni comment, ces créatures sentent qu'il est seul, désarmé, et incapable de leur faire le moindre mal, tu ne crois pas ? Se pourrait-il qu'il s'identifie à elles, qu'il comprenne qu'elles sont, comme lui, totalement à notre merci ? Je ne sais pas. C'est peut-être une idée idiote. Mais de toute façon, nous ne pouvons pas nous contenter de hocher la tête en l'abandonnant à lui-même. C'est à nous de lui donner toute l'aide et tout l'amour dont il a besoin. »

MacDonald ne disait toujours rien, embarrassé parce qu'il savait qu'elle avait raison. Esther s'essuya les joues et se dirigea vers la maison.

« J'ai promis aux enfants une tourte pour ce soir. Il serait temps que je m'y mette. »

Au bout d'un moment, MacDonald la rejoignit.

Lorsque son père et sa mère eurent disparu dans la maison, Ben s'écarta de la brèche d'où, depuis le fenil, il avait assisté à tout ce qui s'était passé après qu'il eut échappé à Burton. Inconsciemment, il effleura l'endroit où les grosses mains du trappeur l'avaient saisi pour le soulever, et il frissonna en faisant la grimace. Avant même que l'homme fût descendu de son cheval, Ben l'avait détesté. Et cette première impression n'avait fait que se confirmer. L'odeur même de l'homme, que ses parents n'avaient pas semblé remarquer, l'avait écœuré. Il arracha sa chemise et l'enfouit sous le foin. George Burton l'avait touchée. Il ne la porterait plus jamais.

Ben n'avait pas tout saisi de la conversation qui s'était déroulée dans la cour, mais suffisamment quand même pour comprendre que son père avait autorisé Burton à poser ses pièges sur leur terre. Et cela l'effrayait, même s'il ne savait pas exactement de quoi il s'agissait. Il n'avait jamais vu de piège mais, de toute évidence, cela servait à attraper des animaux sauvages. Et puis, après le départ de Burton, l'enfant avait bien compris que c'était de lui, Ben, que ses parents parlaient et il les avait observés avec une attention sans faille, plus absorbé par l'étonnante réaction de sa mère que par les paroles qu'elle prononçait. Il ne l'avait jamais vue dans cet état et le fait même qu'elle, toujours si douce, fût capable d'une telle colère le troublait profondément.

Ils avaient parlé de l'envoyer à l'école de North Corners à l'automne et cette perspective à la fois le tentait (car après tout, John, Coral et Beth n'y allaient-ils pas ?) et le remplissait d'angoisse. Au fond, il aurait préféré rester seul comme il l'avait été jusque-là, et passer ses journées à observer les oiseaux et les autres animaux, à les suivre autour de la ferme, à imiter leur démarche et leurs cris. En compagnie de ces créatures, il se sentait non pas supérieur à elles, mais plutôt leur égal, sans jamais éprouver cette peur qui le submergeait si facilement lorsqu'il se trouvait au milieu des humains, et même des membres de sa famille.

Ben n'était pas, comme semblait le penser son père, un espèce de demeuré, un handicapé mental. Il était, à sa manière, tout à fait intelligent. Il était capable de réfléchir et d'analyser tout ce qui l'entourait d'une façon remarquable pour son âge. Simplement, il gardait pour lui ce qu'il avait appris. Il n'aimait pas parler aux gens. Il avait en quelque sorte toujours l'impression qu'on exigeait de lui plus de choses qu'il n'était prêt à en donner, ou encore que les autres n'avaient pas vraiment envie d'entendre ce qu'il avait à dire.

Le pire, pour lui, c'était son père ; il était si grand et si exigeant, si abrupt, si... presque menaçant. Il n'avait jamais frappé Ben ni, à sa connaissance, aucun de ses frère et sœurs, mais sa force même inspirait en permanence à l'enfant la crainte qu'il puisse le faire. Coral, qui, vu son âge, était la plus proche de Ben, était aussi sa sœur préférée et il arrivait même au petit garçon de lui parler, mais jamais assez, au goût de cette jeune bavarde de neuf ans. Pourtant ils avaient noué tous deux une complicité qui, de temps en temps au moins, se passait de mots. Avec Beth, qui avait douze ans, c'était bien différent : il n'y avait aucune communication entre eux. Elle avait tendance à se montrer autoritaire, ce qui le faisait fuir. Elle était vexée de cette apparente indifférence, où il s'enfermait d'autant plus volontiers pour avoir la paix. En revanche, Ben éprouvait une grande attirance pour John, son frère aîné, et l'imitait souvent, à l'insu de celui-ci la plupart du temps. Et John essayait d'être gentil avec lui, de l'aider lorsqu'il le pouvait. Ben en était conscient et appréciait l'attention de son aîné. En fait, il parlait avec John beaucoup plus qu'avec son père et l'accompagnait souvent dans les corvées dont celui-ci, âgé de seize ans, avait la charge à la ferme. Cependant, même envers John, comme envers ses sœurs et son père, Ben éprouvait encore une certaine méfiance et restait souvent sur la réserve. Ils savaient tous tellement plus de choses que lui ; alors qu'aurait-il pu leur raconter qui mérite leur attention ? Pourquoi l'auraient-ils écouté ?

C'est seulement avec sa mère qu'il lui arrivait de s'ouvrir complètement, mais même alors, ce n'était que lorsqu'ils étaient tous les deux seuls, quand les autres enfants étaient à l'école et le père aux champs. Elle lui lisait des livres et répondait à ses questions, toujours douce, toujours patiente, n'élevant jamais la voix. Elle semblait comprendre son amour des animaux, et elle respectait son besoin de solitude et de silence.

Ben quitta le fenil, le front toujours soucieux, l'air préoccupé. Il descendit lentement l'échelle, traversa la grange et resta sur le seuil plusieurs minutes avant de sortir dans la cour. Une des grosses poules blanches était à deux pas, occupée à gratter le sol, caquetant paisiblement et picorant graines ou insectes, au hasard de sa quête. Ben s'accroupit aussitôt, les mains sous les aisselles, les bras collés aux côtes comme des ailes. Puis, marchant en canard, il se dirigea vers elle.

La poule le vit arriver et fit une pause, la tête de côté, un œil rond dans sa direction. Il s'arrêta aussi et, le cou penché comme elle, la regarda. Elle se remit à gratter le sol, d'une patte puis de l'autre, et Ben fit de même. Lorsque à nouveau elle poussa comme un long roucoulement rauque, il en reproduisit le son à la perfection et s'approcha encore. Elle le laissa venir à moins d'un mètre d'elle et lorsqu'il s'immobilisa, ce fut elle qui vint vers lui pour picorer le lacet de cuir qui lui servait de ceinture et dont le bout traînait par terre. Puis elle s'éloigna.

Toujours accroupi, Ben la suivit.

2

À environ trois ou quatre kilomètres au nord de Hawk's Hill, un affleurement de rochers gris, anguleux, se dressait au-dessus du vert émeraude tout neuf de la Prairie. Chose fréquente çà et là dans ce pays plat, ces gros cailloux s'empilaient en désordre et semblaient, vus de loin, être tombés, là, de la main de quelque géant. L'un d'entre eux avait dû glisser à part. Seul à une trentaine de mètres des autres, de forme plus ronde, il donnait l'impression d'avoir roulé de la pile.

Brusquement il se mit à bouger, semblant se dilater en hauteur, puis s'allonger, tout en gardant son apparence de grosse pierre polie. Puis il fit trois ou quatre mètres avant de s'immobiliser à nouveau, mais l'illusion s'était évanouie : il ne s'agissait pas d'une pierre, mais d'une créature de chair et de sang, recouverte de fourrure.

C'était un blaireau. Une femelle de quatre ans, de taille imposante. Elle pesait une bonne douzaine de kilos, était large, basse sur pattes et puissamment musclée. Sa fourrure, d'aspect grisonnant, était longue : la brise légère la faisait onduler, l'ébouriffant parfois. Juste au-dessus de son nez légèrement retroussé, une bande de fourrure étonnamment blanche montait de son museau, passait entre ses yeux, divisait le sommet de son crâne pour aller se perdre dans le gris clair de son dos. Le reste de sa tête était noir, barrée sur chaque joue d'une même bande blanche qui remontait ensuite de l'œil à l'oreille et finissait sur la nuque.

La grosse bête était dans le secteur depuis plusieurs minutes, en train d'étudier le terrain avec attention. Elle avait parcouru un long chemin ce jour-là et ce territoire lui était étranger. Moins de cinq kilomètres à l'ouest, environ une heure auparavant, elle avait déjà fait une pause ; mais bien que de toute évidence elle y eût trouvé une nourriture abondante, car il y avait là-bas des centaines de « taupinières » qui indiquaient une colonie de chiens-de-prairie, l'endroit ne lui convenait pas. Les chiens-de-prairie, qui sont de gros rongeurs en dépit de leur nom, auraient constitué un gibier facile lorsque, dans les jours à venir, elle n'aurait plus été capable d'aller chasser très loin. Mais elle avait continué jusqu'au tas de rochers. Elle appartenait à une espèce très répandue que l'on trouvait, en cette année 1870, de la rivière Peace au nord et des monts Alleghanys à l'est jusqu'aux côtes du Pacifique et du golfe du Mexique à l'ouest et au sud. Ces animaux avaient une préférence marquée pour les plaines, les étendues de la Prairie et les déserts. Il y en avait aussi dans les marais et les forêts, et même dans les montagnes Rocheuses jusqu'à des altitudes de quatre mille mètres. Bref, on trouvait des blaireaux partout où le gibier était à leur convenance.

À deux kilomètres peut-être, à l'est, coulait la rivière Rouge, déroulant ses méandres bordés d'arbres jusqu'au lac Winnipeg. Au sud s'élevaient les pentes douces de Hawk's Hill et, au-delà des bâtiments sur la colline, un immense champ de blé, d'un beau vert, bien peigné. Au nord et à l'ouest s'étendait la Prairie dont l'herbe nouvelle ondoyait à l'infini, ses vagues au loin se brisant parfois sur un amoncellement de rochers semblable à celui qui avait attiré dame Blaireau, ou sur quelque boqueteau de roseaux empanachés et de petits saules entourant une mare. La bête se dressa à nouveau, mais plus haut cette fois, ramenant ses pattes antérieures devant elle comme un écureuil, le nez pointant à la surface de cet océan d'herbe sauvage. Ainsi on distinguait bien mieux les contours de son corps et elle ressemblait de moins en moins à un gros caillou échappé du tas voisin.

Elle avait des pattes courtes, épaisses et robustes, couvertes d'une fourrure d'un brun foncé, presque noir, et pourvues de griffes d'une longueur impressionnante. Son corps ressemblait un peu à celui d'un ourson, mais son attitude, une fois debout, était plutôt celle d'une belette. Elle appartenait d'ailleurs à la famille des belettes, dont elle était une des plus grosses espèces, inférieure en taille au seul carcajou, qu'on appelle aussi « glouton ». Et, comme tous les membres de cette famille, elle était surtout carnivore ; c'était un redoutable prédateur.

Elle n'avait choisi cet endroit particulier pour creuser sa tanière qu'après en avoir écarté un bon nombre sur une distance d'au moins vingt kilomètres. Bientôt elle donnerait naissance à une nouvelle portée, et l'expérience lui avait appris que les tétées et les soins limiteraient ses possibilités de déplacement. La colonie de chiens-de-prairie qu'elle avait repérée à quatre ou cinq kilomètres lui permettrait de ne pas avoir à chasser trop loin de son terrier : ces rongeurs dodus, à queue noire, lui assuraient des vivres pendant la difficile période du maternage.

Dans le ciel, un faucon qui tournoyait poussa quatre cris aigus à la suite. Elle bascula son front large pour le regarder. Ses oreilles rondes et velues, noires à l'extérieur et blanches au-dedans, étaient accrochées assez bas de chaque côté de sa tête et elle possédait une ouïe très fine. Son oreille droite était nettement entaillée sur le dessus, mais c'était là sa seule cicatrice visible.

Le faucon ne causa chez elle aucune panique. Maintenant qu'elle était adulte, plus grand-chose ne l'effrayait. Plus jeune, elle aurait pu être la proie des coyotes, des loups, des chats sauvages ou des lynx, peut-être même d'un grand duc ou d'un aigle, mais ces dangers ne la guettaient plus. Aujourd'hui, les plus grands lynx la laissaient tranquille et même les meutes de loups ou de chiens sauvages hésitaient à l'attaquer car, malgré son air massif et courtaud, elle était rapide et féroce, à l'assaut comme en défense, et c'était un adversaire à ne jamais traiter à la légère. De plus, elle ignorait la peur ; quand elle avait le choix, elle battait toujours prudemment en retraite, mais si l'affrontement devenait inévitable, alors la plupart du temps c'était elle qui lançait l'offensive, avec une furie effrayante.

Elle savait bien que, lorsqu'ils viendraient au monde, ses petits seraient vulnérables tant qu'ils n'auraient pas grandi suffisamment pour assurer eux-mêmes leur défense. Jusque-là, elle pourrait trouver dans la topographie même de cet endroit une aide appréciable. Car non seulement elle disposait d'une réserve de gibier à une distance raisonnable, mais si un de ses petits se laissait surprendre par un prédateur non loin de la tanière, il pourrait se réfugier dans les rochers empilés.

Satisfaite, elle se remit à quatre pattes et commença à trottiner en rond, le nez au sol, en s'éloignant de plus en plus de son point de départ. Son corps glissait au ras du sol, le poil grisonnant de ses flancs dissimulant presque entièrement ses pattes courtes, de sorte qu'elle avait l'air de se couler entre les herbes hautes à la manière d'un reptile, et son allure souple ne manquait pas d'une certaine grâce.

Elle stoppa brusquement et se mit aussitôt à creuser. À une vitesse incroyable, les griffes de ses pattes avant, longues et puissantes, déchiraient le sol, arrachant d'abord des mottes soudées par les racines de l'herbe, et puis de la terre meuble qui s'effritait aussitôt. En moins d'une minute sa tête et ses épaules avaient disparu. Sa queue épaisse et sombre, qui ne faisait guère que la longueur d'une main, battait au rythme de ses efforts. Bientôt ses pattes postérieures entrèrent en action, creusant à leur tour mais aussi projetant loin en l'air la terre arrachée par les pattes avant.

Elle aurait pu creuser bien plus vite et cependant, en moins de deux minutes, on ne voyait plus que son derrière, tandis que la terre jaillissait maintenant du trou à jet continu. Elle creusait obliquement et légèrement en spirale, et lorsque le trou fut devenu trop profond, elle dut remonter régulièrement à la surface pour évacuer la terre accumulée derrière elle, ce qu'elle faisait des quatre pattes, tout en reculant jusqu'à l'ouverture.

Trois fois pendant cette première partie de l'opération, elle fit une pause et remonta à la surface où, dressée sur ses pattes arrière, elle inspecta l'horizon de toute la hauteur de ses soixante-quinze centimètres. D'abord, rien ne retint son attention mais, soudain, elle resta plusieurs minutes les yeux fixés vers l'ouest à observer un animal qui se déplaçait sans hâte à moins d'une centaine de mètres.

Puis elle émit une espèce de jacassement sourd, mais qui portait loin, et l'animal stoppa net, se dressa lui aussi au-dessus des herbes et répondit à son appel. C'était un autre blaireau, son mâle en fait, qui l'avait suivie jusque-là. Il lui ressemblait beaucoup, avait la même taille et la même couleur. Il ne l'aiderait pas à excaver la tanière, mais il resterait dans le voisinage et, après la naissance, quand les petits seraient sevrés, il contribuerait à les nourrir en apportant le produit de sa chasse : souris, écureuils de prairie, oiseaux nichant dans les herbes. Après un autre bref échange, la femelle replongea dans son trou et se remit à creuser furieusement.

Elle dépensait une énergie incroyable. Son rythme ne ralentissait pas et elle ne montrait aucun signe de fatigue. Depuis le début elle avait une respiration bizarre, sifflante, quasi asthmatique, entrecoupée de grognements, comme si elle se parlait à elle-même. Elle continua à descendre, toujours ahanant et grommelant, jusqu'à une profondeur d'environ un mètre et demi. Là, elle adopta une trajectoire horizontale, mais continua à creuser sans répit.

À intervalles réguliers, elle remontait à la surface, toujours à reculons, pelletant derrière elle la terre qu'elle ramenait pour la disperser hors du trou. Instinctivement, elle savait avec précision à quel moment cette opération était nécessaire : trop de terre lui aurait demandé des efforts épuisants ; pas assez lui aurait fait gaspiller ses forces. Et bizarrement, alors qu'elle en avait déjà évacué une quantité, il n'y en avait guère de traces autour du trou, en tout cas aucun de ces tas qui trahissent les colonies de chiens-de-prairie ou les taupinières. Ses pattes postérieures projetaient la terre loin alentour, où elle tombait entre les tiges des herbes sans jamais les recouvrir. Lorsqu'elle creusait pour chasser des rongeurs dans leurs terriers ou pour échapper à un danger, voire pour s'aménager une tanière provisoire, elle ne prenait pas tant de précautions, qui lui auraient coûté une énergie précieuse : elle laissait alors les déblais s'empiler au bord du trou. Mais là, son instinct lui disait qu'un tas volumineux aurait signalé sa présence et donc mis en danger la vie des petits qui allaient bientôt naître. C'est pourquoi elle dispersait toute la terre qu'elle avait déblayée avec autant d'intelligence et d'efficacité.

Revenue à l'horizontale, elle creusa son tunnel pendant encore trois mètres. Là, elle cessa sa progression, mais continua à creuser autour d'elle, dégageant un espace large qui serait la tanière proprement dite, et continuant à remonter ses déblais à reculons vers l'air libre. Dès la tombée de la nuit, elle avait terminé cette première phase de l'excavation de son futur logis. Le tunnel d'entrée était de forme ovale, de vingt à trente centimètres de haut sur presque un demi-mètre de large. L'entrée elle-même était si bien dissimulée qu'il fallait littéralement tomber dessus pour la découvrir. Et au bout du tunnel, long de cinq mètres, la tanière formait maintenant une cavité circulaire au plafond en dôme, haute environ d'un mètre et large de presque un mètre et demi.

Elle sortit alors du trou et s'en éloigna à travers l'herbe haute. À une dizaine de mètres de l'entrée, elle s'arrêta et s'ébroua vigoureusement : la terre accumulée dans sa fourrure vola dans tous les sens. Elle se remit en marche et soudain, avec une agilité étonnante, elle fit un écart et, en deux bonds, se jeta sur un campagnol qui émit un petit cri perçant avant qu'elle ne le broie d'un seul coup de mâchoire. Elle n'en fit qu'une bouchée et l'avala tout rond. Après s'être rapidement pourléché le museau, elle rebroussa chemin. Elle ne s'arrêta qu'à une bonne quinzaine de mètres de l'entrée de son repaire et là, sans une seconde d'hésitation, elle se remit à creuser.

Ce tunnel descendait moins en pente que le premier et ce n'est qu'au bout de trois mètres qu'elle atteignit la profondeur où, de nouveau, sa trajectoire devint horizontale. Elle continuait à travailler au rythme régulier de sa respiration asthmatique, pestant parfois contre une pierre plus difficile à déloger. Ces pierres-là, elle ne prenait pas la peine de les déblayer avec le reste : elle creusait un trou dans le flanc de la galerie, y poussait la pierre et la maçonnait dans la paroi avec de la terre fraîche.

Ce nouveau tunnel n'était pas en spirale : il était tout droit et donc bien plus long. Au bout d'une douzaine de mètres, le fond de la galerie céda devant elle, et elle déboucha dans sa tanière circulaire. C'était là une incroyable performance, digne d'un géomètre professionnel, et pourtant elle ne se trompait jamais. Elle était maintenant au bout de ses forces et son halètement chuintant continua bien après qu'elle eut cessé de creuser. Elle venait de terminer un petit chef-d'œuvre de sape, mais aussi de sécurité, une tanière souterraine à double accès : une entrée courte et facile pour le quotidien, et une sortie de secours à bonne distance en cas d'urgence.

Il était minuit passé et il paraissait probable qu'elle allait s'installer confortablement pour prendre un repos bien mérité après autant d'efforts. Mais non. Dès qu'elle eut retrouvé une respiration normale, elle émergea à nouveau de l'entrée principale. Sans attendre, elle se mit en quête d'herbes sèches, vestiges de l'année dernière, remplacées par les pousses du printemps. Elle les rassembla en une boule compacte. Lorsque cette boule eut atteint la taille voulue, légèrement inférieure au volume de sa tête, elle se dressa sur son séant et, à l'aide de ses pattes avant, la cala sous son menton. Alors, progressant lentement pour ne pas laisser choir son fardeau, elle retourna vers son trou. Là, faisant volte-face, elle pénétra dans le tunnel à reculons, s'aidant de ses « mains » pour tenir la boule d'herbes sèches. Elle fut bientôt dans sa tanière, où elle défit le paquet d'herbes qu'elle éparpilla sur le sol.

Infatigablement, elle refit le même aller et retour jusqu'à ce que, peu avant l'aube, le sol de la tanière soit recouvert d'une paillasse compacte d'herbes sèches atteignant presque dix centimètres d'épaisseur. Puis elle sortit à nouveau et cette fois se rendit au pied de l'entassement de rochers, face au nord où, de la même façon, elle fit provision de mousses vertes et spongieuses par brassées qu'elle rapporta en plusieurs voyages. Elle ne s'arrêta qu'après avoir à moitié recouvert le matelas d'herbe de ce couvre-lit douillet.

Alors seulement, son ouvrage terminé, son nid fin prêt, elle se roula en boule dans la mousse fraîche et s'endormit. Très bientôt, certainement dans les quatre ou cinq jours à venir, ses petits allaient naître. Ce serait sa troisième portée et, avec un peu de chance, elle l'élèverait avec autant de succès que la première. Le sort, en effet, s'était acharné sur la deuxième.

L'élevage et le dressage des trois petits de sa première portée s'étaient déroulés sans problèmes. Elle les avait mis au monde à presque trente kilomètres au nord-ouest, là où la Prairie cédait abruptement la place à la forêt encore vierge qui s'étendait vers le nord. Une seule fois, durant cette période, elle avait eu affaire à un danger sérieux.

L'instinct maternel qui pousse la femelle du blaireau à protéger ses petits à tout prix, quel que soit le danger auquel elle s'expose, en fait un adversaire redoutable. Un jour, l'un de ses bébés, les yeux fraîchement ouverts, à peine sorti du nid, avait failli se faire prendre par un gros lynx. Alors d'une taille bien inférieure, elle s'était pourtant sans hésiter lancée à l'attaque de ce prédateur bien plus gros qu'elle et l'avait mis en déroute, piaulant de douleur, couvert de blessures cuisantes. C'est ce même lynx qui lui avait happé l'oreille, y laissant une entaille profonde. Mais à part cela, elle était sortie indemne de l'échauffourée.

Les trois petits avaient grandi et, avec l'aide de son compagnon de chasse, elle les avait régulièrement approvisionnés en gibier frais après leur sevrage. Plus tard, cet été-là, elle leur avait appris à chasser et c'est vers cette époque que son compagnon était parti de son côté, pour ne plus revenir. Et, à l'approche de l'hiver, lorsque les trois petits eurent appris à se débrouiller tout seuls, elle les avait chassés pour qu'ils aillent vivre leur vie et se trouvent chacun un territoire.

Peu après, elle avait rencontré un nouveau compagnon. Dans les mois qui suivirent, ils se fréquentèrent plus ou moins régulièrement. Il arriva même à l'occasion qu'elle partage sa tanière avec lui. Mais le plus souvent elle préférait rester seule et elle passa la plus grande partie de l'hiver dans une succession de terriers qu'elle devait creuser bien en dessous du sol gelé avant de pouvoir élargir la chambre de sa tanière ; elle n'occupait d'ailleurs jamais une tanière bien longtemps et n'y retournait que très rarement après l'avoir abandonnée. Ces terriers n'étaient pas perdus pour tout le monde ; une grande variété d'animaux les utilisaient ensuite, trop paresseux ou incapables de terrasser un refuge aussi bien conçu : renards, lapins, coyotes, serpents, furets et autres. Certains hiboux, même, y faisaient leur nid.

Au printemps suivant, il y avait tout juste un an, elle avait mis au monde sa deuxième portée à moins de deux kilomètres de la première, dans une tanière dont hélas ! elle n'avait pas aussi prudemment choisi l'emplacement : elle l'avait creusée près de Wolf Creek, qui débouchait dans la Prairie le long de la lisière de la forêt. Cette fois-là, elle avait eu six petits, une portée relativement nombreuse chez les blaireaux, et dès le début les choses avaient pris une tournure catastrophique. Quelques jours seulement après la naissance, il y avait eu trois journées de pluies diluviennes et Wolf Creek, le ruisseau du Loup, était sorti de son lit. D'un seul coup, l'eau s'était engouffrée dans les deux tunnels. La mère n'avait réussi à sauver que deux de ses petits avant que la chambre centrale ne soit submergée, mais même ces deux-là ne devaient pas survivre long-temps.

Moins d'une semaine après qu'ils eurent commencé à s'aventurer au-dehors de la nouvelle tanière que leur mère avait creusée, l'un d'eux se laissa imprudemment capturer par un aigle doré, à qui deux coyotes en maraude le dérobèrent. À peine une quinzaine plus tard, le compagnon de notre femelle avait été tué d'un coup de carabine par un cavalier qui passait par là. Et le dernier survivant de la portée, après un combat féroce contre un jeune loup d'un an, se réfugia au fond de la tanière maternelle, mais il était si gravement blessé qu'il y mourut sans avoir revu la lumière du ciel.

Après cela, la mère s'en était allée, seule à nouveau, laissant ces lieux de tragédie de plus en plus loin derrière elle, et passant le reste de l'été à chasser les mulots et les gaufres[1], les lièvres et les chiens-de-prairie, les grouses à queue pointue, les poules sauvages et autres oiseaux qui nichent dans les herbes, jusqu'à ce qu'elle rencontre un nouveau mâle, à l'automne précédant notre histoire.

Au début, elle ne voulut pas de lui comme compagnon. Mais il lui fit une cour assidue et lorsque vinrent ses chaleurs, la nature reprit le dessus et elle l'accepta enfin. Leur accouplement eut lieu début décembre et fut couronné de succès ; mais l'hiver approchait et, sous ces latitudes boréales, cette saison peut être terrible. Contrairement aux chiens-de-prairie et à maintes autres créatures qui sont pour lui des proies naturelles, le blaireau n'hiberne pas. Ce qui signifie qu'en hiver la nourriture devient pour lui extrêmement rare, lorsqu'elle ne disparaît pas complètement. Il avait été nécessaire pour notre mère blaireau, pendant la fin de l'été et l'automne précédents, de se barder le corps d'une épaisse couche de graisse qui l'aiderait à tenir pendant tout l'hiver. Si elle n'hibernait pas, son activité n'en était pas moins très ralentie, et elle restait dans son gîte souterrain à dormir une grande partie du temps, sans refaire surface pendant des semaines entières au moment des plus grands froids. La période de gestation pour les blaireaux n'est que de six à huit semaines, ses petits auraient donc dû naître en février. Il faut bien reconnaître que c'est là le pire

---

1. Les gaufres (*gophers* en américain) sont de petits écureuils qui vivent dans des terriers. Il en existe de nombreuses variétés. On les appelle aussi spermophiles.

moment de l'année pour mettre au monde des petits, aussi la Nature a-t-elle prévu dans ce cas que les embryons des blaireaux se développent au ralenti dans le ventre de leur mère pendant deux à trois mois après la fécondation.

C'est pourquoi, alors qu'on entrait dans la deuxième semaine du mois de mai, notre mère blaireau s'était livrée à tous ces préparatifs en prévision de la naissance de sa troisième portée. Elle pouvait avoir entre un et sept petits. Mais quel que soit leur nombre, elle ferait absolument tout pour les protéger des prédateurs, bêtes et gens, dût-il lui en coûter la vie. Et, avec un peu de chance, ses petits parviendraient peut-être à mourir de vieillesse, c'est-à-dire vers l'âge de quatorze ans.

Mais, bien sûr, rares sont les animaux sauvages, quelle que soit leur espèce, qui voient jamais atteinte leur espérance de vie biologique, car ils meurent presque tous de mort violente.

3

De toute évidence, George Burton avait raconté partout
l'histoire du petit garçon qui parlait aux animaux, que
ce soit à Winnipeg ou à North Corners, la petite communauté de colons située à mi-chemin de la ville et de
Hawk's Hill, où se trouvaient un petit magasin, une
église, une école et peut-être deux ou trois douzaines de
constructions, maisons, granges et étables. Depuis six
semaines que Burton était passé chez les MacDonald,
toute une procession de visiteurs s'étaient rendus à la

ferme ; plus de monde que dans toutes les années qui avaient précédé. Au début, cet intérêt soudain les rendit perplexes. Les visiteurs trouvaient toujours une bonne raison pour justifier leur venue, mais il apparut rapidement que c'était Ben qu'ils venaient voir, et non pas ses parents. Dans une région et à une époque où les distractions étaient rares, un garçon capable de parler aux animaux méritait le détour, même s'il fallait pour cela voyager une journée entière.

C'est un dimanche, après l'office dans la petite église de North Corners, que William et Esther MacDonald finirent par recouper les allusions et les rumeurs qui s'étaient propagées, pour aboutir à l'effrayante conclusion que leur Benjamin était devenu au mieux un objet de curiosité, et le plus souvent un sujet de discussion où il faisait figure d'attardé, d'enfant-loup, bref, de monstre.

« Je vous jure que c'est vrai, disait M. Pollete au milieu d'un petit attroupement. Claudia et moi y sommes allés la semaine dernière et j'ai vu de mes yeux ce... cet avorton, en train de parler à un poulet ! »

Mme Pollete hocha gravement la tête avant d'ajouter :

« Harry ne plaisante pas. Je l'ai vu moi aussi. Le gamin était là, au milieu des volailles, à caqueter, à se battre les flancs et à picorer comme une poule. Ça m'a glacé le sang. Ce petit a quelque chose de pas normal du tout ! »

Mary Deedly, l'obèse, riait nerveusement.

« C'est tout à fait ça, dit-elle. Horace et moi, on y est allés aussi pour se rendre compte, oh, ça fait deux ou trois semaines. Et on l'a vu, assis entre les sabots de leur

vieux cheval de labour, en train de parler à l'animal...
sauf qu'il ne lui parlait pas comme nous : il était là à
broncher et à hennir comme un vrai poulain. Et vous
savez quoi ? (Ses yeux s'écarquillèrent.) Le vieux cheval
n'arrêtait pas de remuer les oreilles et il lui a même
répondu !

— Leurs autres enfants, Beth, Coral et John, intervint
Horace Deedly, ils sont ma foi aussi gentils et normaux
qu'on peut l'être. Mais ils me font de la peine, pensez
donc : dès qu'on leur parle du petit, qu'on leur pose des
questions, ils se mettent à rougir et à bafouiller. Mais
notre Elmer, pendant qu'on était là-bas, il jouait avec
leur John près de la grange et juste à ce moment-là, voilà
que le petit Ben arrive à quatre pattes derrière une de
leurs brebis, et il faisait tout comme elle : il broutait
même de l'herbe, et il bêlait ! Il bêlait d'ailleurs si bien
qu'Elmer ne savait plus trop bien si c'était la brebis ou
le gamin. Du coup, voilà qu'il éclate de rire et demande
à John – mais c'était une plaisanterie, bien sûr – si son
petit frère avait de la laine sur le dos, sous sa chemise !
John s'est fâché tout rouge et a dit à Elmer de ficher le
camp, sinon il allait lui mettre une avoinée.

— En tout cas, reprit Claudia Pollete en reniflant, un
peu vexée de s'être fait ravir le devant de la scène, ce qui
ne fait aucun doute, c'est que le gamin a quelque chose
qui ne tourne pas rond dans la tête, et il n'est pas question que je laisse mes enfants jouer avec lui. Et puis,
ajouta-t-elle en reniflant de plus belle, le nez levé en
direction des MacDonald qui franchissaient le porche de

l'église, les parents de ce Ben pourraient faire preuve d'un peu de respect pour le monde. Quelle idée d'infliger aux gens normaux la présence de leur petit monstre ! »

La quasi-totalité de cette conversation était parvenue aux oreilles des MacDonald, qui se trouvaient encore derrière la porte de l'église ; et lorsqu'ils en franchirent le seuil, ils n'entendirent que trop clairement ces derniers mots, qui leur étaient directement adressés. D'une pression douce mais ferme Esther empêcha William de dire ou de faire quoi que ce soit de regrettable. Mais elle était devenue livide ; les mains tremblantes et les lèvres serrées, elle aida Ben à grimper dans leur voiture. Beth, Coral et John y montèrent à leur tour sans un mot. William fit enfin claquer les rênes et l'attelage s'ébranla vers Hawk's Hill.

Ils se parlèrent peu sur le chemin du retour : un nuage d'amertume et d'impuissance planait sur la famille. Depuis des semaines, des discussions souvent vives entre Esther et William, qui autrefois ne se disputaient jamais, se renouvelaient chaque fois qu'ils parlaient de Benjamin. Esther continuait à plaider la patience et la compréhension, convaincue que Ben ne faisait que traverser une de ces phases dont les enfants sont coutumiers, qu'il deviendrait plus sociable avec le temps, qu'il finirait par s'intéresser aux gens dès qu'il aurait commencé l'école. William, plus pragmatique, était tout aussi sûr que rien ne changerait si on ne faisait pas pression sur le petit ; il faisait de plus en plus souvent allusion à la nécessaire discipline sans laquelle on ne tirait rien des enfants, qu'ils soient difficiles ou non.

Ben lui-même était tout à fait inconscient des tensions qu'il causait. Il était faux, bien sûr, comme on le prétendait en ville, que le petit Benjamin MacDonald ait été capable de parler aux animaux. Mais il avait avec eux des affinités étonnantes et sa capacité à imiter leurs attitudes, leurs mouvements et leurs cris était incroyable.

Même lorsqu'ils l'apercevaient de loin, les animaux domestiques de la ferme accouraient à sa rencontre en le saluant dans leurs idiomes divers, et toujours il leur répondait, les imitait, se frottait à eux et caressait même les plus farouches. Tout cela, le plus souvent, sans cesser de fredonner une modulation bizarre qui ne ressemblait au cri particulier d'aucune de ces bêtes, mais qui semblait avoir sur toutes un effet apaisant.

Ce n'étaient pas seulement les vertébrés qui attiraient la curiosité de Ben. Il restait fréquemment des heures à plat ventre à observer l'incessant manège des fourmis autour de leurs fourmilières ou bien, assis sur ses talons, il contemplait avec fascination une chenille ou une sauterelle qui, tout occupée à grignoter un bout de feuille ou un brin d'herbe, ne lui accordait pas la moindre attention.

La veille de ce dimanche avait été assez typique de la façon dont il passait la plupart de ses journées. Il était parti à quelques centaines de mètres de la maison, vers le sud-est, jusqu'à un petit étang marécageux au pied de la colline. Il avait regardé là pendant plus de deux heures des merles aux ailes rouges bâtir leurs nids entre les roseaux, nids en forme de bols, tissés d'herbes sèches. Puis, remontant vers la ferme, il s'était allongé sur le dos, à mi-chemin, pour contempler un aigle à tête blanche qui décrivait des cercles gracieux dans le ciel clair, s'élevant en spirales progressives jusqu'à n'être plus qu'un point dans l'azur. Ben savait qu'il lui suffirait de le quitter des yeux une seconde, ou simplement de battre des cils, pour le perdre dans l'immensité de l'horizon. Mais ses yeux finirent par s'embuer de larmes, tant il les avait tenus ouverts longtemps, et il ne put s'empêcher de cligner rapidement des paupières deux ou trois fois pour y voir plus net. Et, déjà, le grand oiseau de proie avait disparu dans la voûte du ciel. Ben éprouva un chagrin bizarre, un regret intense de ne pouvoir étendre les bras et planer là-haut avec l'aigle majestueux, sentir l'air léger frôler son corps sans poids, éprouver le vertige de dominer tout le paysage qui s'étendrait alors sous ses ailes. Ses yeux se remplirent à nouveau de larmes, mais c'étaient maintenant des larmes de frustration. Le vol des oiseaux ! C'était là une des rares choses qu'il ne pouvait imiter, qui lui resterait à jamais interdite. Il aurait été prêt à payer d'une chute sans espoir dans l'abîme une seule minute de vol vertigineux en compagnie de l'aigle.

Il bascula sur son coude et, d'un geste sec, tira de son fourreau vert un long brin d'herbe qu'il mit entre ses dents. Le bout, tendre et blanc, était juteux et sucré ; il le savoura. Il allait se relever pour rentrer à la maison lorsqu'il entendit un ronflement grave qui approchait. Il aperçut bientôt un énorme bourdon qui arrivait en rasant la cime des herbes et, fasciné, il le regarda se poser près de son nez. L'insecte fit quelques pas cahotants puis s'engouffra dans un trou à peine plus large que lui. L'instant d'après il s'envola, ou peut-être était-ce son frère jumeau, toujours au ras des herbes, et disparut vers l'ouest, son bourdonnement désordonné diminuant rapidement jusqu'à ce qu'on ne perçoive que le souffle de la brise froissant l'herbe et, au loin, l'écho d'une bande de colverts en train de faire leurs nids près d'un autre trou d'eau.

Le père de Ben se plaignait souvent de ces nombreuses mares qui rendaient de larges portions de sa terre incultivables, car il aurait fallu drainer toute cette eau avant de pouvoir planter. Ben, quant à lui, espérait bien qu'on n'y changerait rien, car il adorait ces trous d'eau bordés de marécages où abondaient toutes sortes d'animaux. On y trouvait de nombreuses variétés d'oies sauvages et de canards, ainsi que des merles bruyants et querelleurs, aux ailes rouges ou bien roussâtres. De temps en temps, on entendait le cri perçant d'un butor dans les grands roseaux et il était même arrivé à Ben d'apercevoir le gros échassier, encore que généralement l'oiseau était si bien camouflé qu'il échappait même à l'œil exercé du garçon. Un jour, il avait contemplé, ébloui, un visiteur relativement rare, un grand héron bleu qui avait surgi en planant et s'était posé en douceur dans l'eau peu profonde, puis était resté là, silencieux, perché sur ses longues échasses, à l'affût de grenouilles ou de petits poissons.

Les rats musqués n'étaient pas rares et une fois, à sa grande surprise, Ben avait aussi rencontré un jeune castor qui émigrait à travers la Prairie : il avait dû quitter la vallée de Wolf Creek pour partir à la recherche de son propre territoire.

À chaque printemps, généralement peu de temps après le retour des merles, des hirondelles apparaissaient et décrivaient au-dessus des étangs des cercles gracieux, plongeant jusqu'à la surface de l'eau pour en rayer le miroir du bout de leur bec, buvant une gorgée ou gobant une araignée d'eau sans ralentir. Ben ne connaissait pas toujours les noms de ces différents oiseaux, mais il avait l'œil et savait distinguer les différences au sein d'une même espèce. Ainsi, il avait remarqué qu'il y avait quatre sortes d'hirondelles : brunes, vert sombre, multicolores et, moins souvent, bleues, mais il ignorait leurs noms respectifs (hirondelles de rivage, des bois, des falaises et hirondelles de cheminée), et cela le tracassait. Il y avait tant de choses à connaître, tant de choses qu'il voulait apprendre sur toutes ces créatures, et il ne pouvait rien faire d'autre que de les observer. Peut-être à l'école apprendrait-il ce qu'elles étaient, comment elles se nommaient ; cela suffisait à lui faire envisager sa prochaine rentrée avec un intérêt mêlé d'une certaine impatience. Il se promettait qu'un jour il saurait tout ce qu'on peut savoir sur les oiseaux, les mammifères et toutes les autres créatures qui peuplaient son monde, la Prairie autour de Hawk's Hill. Il

ignorait, dans son innocence, que ses dons d'observation lui avaient déjà sans doute appris plus de
choses sur les créatures sauvages qu'on ne pourrait
jamais lui en enseigner à la petite école de North
Corners.

Pourtant, malgré toutes ses affinités avec les animaux,
Benjamin MacDonald était incapable de leur parler,
contrairement à ce que tant de gens semblaient croire,
et à ce que sa façon étonnante d'imiter leurs cris pouvait laisser penser. Mais il était rare qu'il passe une journée sans aller musarder dans les prairies environnantes,
s'arrêtant parfois de longues heures près des piles de
rochers disséminés de loin en loin, et des heures plus
longues encore dans les marécages autour des trous
d'eau.

Ce jour-là ne devait pas faire exception et, après le
retour de l'église et le déjeuner en famille, il s'en fut, seul
comme d'habitude, et descendit la longue pente de la
colline en direction du nord-ouest, se frayant un passage
dans l'herbe déjà dense qui lui arrivait au-dessus du
genou. Il allait sans hâte, goûtant ce sentiment de totale
liberté qui accompagnait toutes ses escapades.

Il était à peine à plus d'un kilomètre de la ferme
lorsqu'il s'arrêta pour observer un petit épervier aux
formes profilées qui était apparu soudain, à quelque dix
mètres de haut, ses ailes étroites et pointues tour à tour
battant l'air ou immobiles quand il se laissait planer. De
nouveau, Ben sentit monter en lui le désir violent de pouvoir lui aussi voler.

Le petit rapace, dont il apercevait parfois le dos rougeâtre caractéristique, venait dans sa direction en enchaînant virages et plongeons lorsque soudain, à une trentaine de mètres, ses ailes s'ouvrirent toutes grandes et se mirent à battre très rapidement tandis qu'il s'immobilisait dans le ciel. Cela dura quinze secondes, puis le rapace se laissa tomber comme une pierre. L'herbe était trop haute pour que Ben puisse apercevoir la victime de l'oiseau de proie, alors il se mit à quatre pattes et avança lentement, sans faire le moindre bruit, en direction de l'endroit où avait plongé l'épervier. Il lui fallut un temps considérable pour y parvenir, mais il l'aperçut enfin, posé au sol sur une petite surface où l'herbe était rare, près d'une touffe de lianes basses. Son approche avait été si discrète qu'il vit l'oiseau bien avant que celui-ci ne remarque sa précence.

La queue tournée vers Ben, l'épervier était occupé à déchirer une proie qu'il tenait dans ses serres. Il s'interrompait de temps en temps pour lever la tête et jeter un coup d'œil bref autour de lui avant de reprendre son repas. Arrivé à environ cinq mètres de la scène, Ben se rendit compte que la proie était une de ces souris à longue queue et longues pattes arrière qu'il avait maintes fois dérangées dans ses promenades et qui s'étaient enfuies devant lui en faisant d'incroyables bonds de un à deux mètres, avant de disparaître comme par miracle sous le matelas d'herbe sèche. C'était une souris sauteuse des champs et, bien qu'il n'en connût pas le nom, il savait bien la reconnaître parmi les dizaines d'autres espèces de souris de la région. C'était un petit rongeur délicat au ventre d'un blanc neigeux, au corps brun-orange, avec une bande de pelage plus fourni et plus sombre le long de son épine dorsale.

L'épervier avait déjà dévoré la tête et presque la moitié du petit corps, qu'il maintenait sous sa griffe tout en arrachant des bouchées voraces de son bec recourbé. C'était un mâle, au plumage coloré, les ailes d'un gris-bleu, le sommet de la tête, le dos et la queue d'un brun rougeâtre. De chaque côté de sa tête, deux bandes noires partaient du haut de son bec, l'une entourant l'œil par le haut pour redescendre sur le côté ; l'autre, droite, barrant son œil et sa joue blanche. Sa poitrine et son ventre étaient d'un beige clair saupoudré de brun. C'était un très bel oiseau.

Ben n'était pas à plus de trois mètres de lui, progressant à plat ventre comme un escargot, lorsque l'épervier l'aperçut. Il pivota aussitôt pour faire face au garçon, l'œil rond, les ailes à moitié déployées, et lança un cri aigu, perçant : *kili-kili-kili-kili !*

Ben lui sourit de toutes ses dents, et, sans arriver toutefois à reproduire la netteté du cri de l'oiseau, en fit une imitation tout à fait remarquable. L'oiseau secoua la tête plusieurs fois de façon assez comique, puis l'inclina sur le côté. Ben l'imita, y rajoutant son imitation du cri de l'épervier suivie d'un sourire encore plus large.

« Je te veux pas de mal, dit-il à mi-voix. Je veux juste te regarder. T'inquiète pas, je te veux pas de mal. »

Il ne s'approcha pas plus, mais l'épervier restait perturbé par sa présence. Un instant, il sembla vouloir reprendre son repas et donna un ou deux coups de bec nerveux aux restes qu'il tenait sous sa patte, mais la proximité du garçon le mettait décidément mal à l'aise. Brusquement, ses serres agrippèrent sa proie et il s'envola un peu lourdement, les longues pattes et la queue de la souris traînant sous lui, il s'éleva à grands battements d'ailes et s'éloigna sans prendre de hauteur. Déçu, Ben regarda s'en aller le rapace qui disparut bientôt avec sa proie derrière un bouquet de saules nains, de l'autre côté d'une mare, beaucoup plus loin.

Il s'était dressé sur ses genoux au départ de l'oiseau et maintenant, toujours à quatre pattes, il s'approchait de l'endroit où s'était déroulé le petit drame sauvage. Attentivement, il observa les quelques gouttelettes de sang, une touffe de fourrure, un petit fragment d'os. Il saisit délicatement le bout d'os et reconnut une partie du crâne de la souris, dont la mâchoire supérieure, où étaient encore fixées les deux incisives. Les dents du petit rongeur étaient légèrement jaunies et recourbées, chacune avec un long sillon droit sur la face externe, de la racine au tranchant. Ben n'avait jamais remarqué ce détail, et il s'y attarda avec un intérêt accru. C'était là une chose de plus à ajouter à tout ce qu'il savait déjà de ces animaux sauvages qui le fascinaient.

Il s'était remis à plat ventre pour observer sa trouvaille sous tous les angles. Perdu dans sa contemplation, il n'entendit pas tout de suite un son minuscule, à peine audible, un vague petit couinement, plus frêle qu'un zézaiement de moustique. Il savait depuis longtemps que les mouvements brusques effraient les animaux ; aussi, lorsqu'il perçut le bruit ne leva-t-il même pas la tête, se contentant de jeter autour de lui des regards furtifs. Quand il l'aperçut enfin, il s'en voulut de ne pas l'avoir remarqué plus tôt. À moins d'un mètre de l'endroit où l'épervier avait cloué la souris au sol, adroitement dissimulée dans le pied d'une touffe d'herbe dense, se trouvait une boule d'herbes enchevêtrées pas plus grosse que ses deux poings d'enfant réunis : le nid de la souris.

Il le reconnut immédiatement. Glissant le fragment de mâchoire dans sa poche de chemise, il tendit le bras et délogea le nid avec précaution. Puis il le prit dans le creux de sa main et le retourna : l'ouverture était en dessous, un trou où son pouce entrait à peine. Il le mit contre son oreille et son visage mince s'éclaira d'un sourire lorsqu'il entendit, bien plus nettement cette fois, les petits couinements des occupants du nid.

Posant la boule d'herbe sèche sur le sol, il prit appui sur ses coudes et, sans se presser, il l'ouvrit en deux délicatement. À l'intérieur, il y avait quatre minuscules bébés souris, rose vif, sans un poil, leurs yeux encore collés faisant comme deux points sombres sur leurs crânes nus. Ils bougeaient faiblement, et leurs bouches microscopiques s'ouvraient en laissant filtrer leurs couinements ténus.

Du bout des doigts, Ben les cueillit un à un dans le creux du nid pour les poser sur le plat de sa main. Son plaisir à les contempler était terni par la certitude qu'ils ne vivraient pas. Leur mère ne reviendrait jamais et, privés de son lait, ils s'affaibliraient rapidement puis mourraient. Ce n'était là sans doute qu'une minuscule tragédie, quotidienne et banale dans le cycle de la vie sauvage, mais cela le rendait triste quand même. Il aurait voulu les nourrir et les sauver, mais il savait qu'il n'avait aucun moyen de le faire.

Tandis qu'il méditait sur le sort de ces quatre petites vies posées dans la paume de sa main, il y eut un craquement juste devant lui. Il leva les yeux, surpris, et se trouva face à face avec un énorme blaireau ; c'était une femelle et de toute évidence elle était aussi interloquée que lui de cette rencontre, parfaitement inattendue. Immédiatement, un peu comme un chat, elle se mit à cracher de façon hostile et continua avec un grondement du fond de la gorge assez effrayant, tandis que ses babines se retroussaient sur une rangée menaçante de grosses dents pointues.

Le cœur de Ben cognait sous sa chemise, mais à part deux ou trois battements de cils, il resta totalement immobile. Deux fois déjà, mais de loin, il avait aperçu des blaireaux trottant à travers la Prairie, regrettant à chaque fois de ne pas les voir de plus près. On racontait souvent des histoires de blaireaux chez les MacDonald. À l'heure du dîner, son père rappelait volontiers les nombreuses fois où il avait eu affaire à eux depuis vingt ans. Ben l'écoutait toujours attentivement, passionné par ses récits mais, contrairement à ses frères et sœurs, il ne posait jamais de questions. Et donc, le blaireau était à ranger dans la catégorie des bêtes féroces. C'était un gros animal téméraire, un dur à cuire à qui même les loups fichaient généralement la paix. Il était capable de tenir en respect une meute entière de chiens de chasse et d'ailleurs peu de ceux-là étaient aussi féroces que lui en combat singulier. De plus, s'il s'y trouvait acculé, le blaireau attaquait l'homme sans hésitation. Qu'il puisse aisément tuer un enfant aussi menu que Ben allait alors de soi.

Toutes ces pensées peu réjouissantes passèrent en un éclair dans l'esprit de Ben pendant les cinq premières secondes de la rencontre. Il s'était figé mais, bizarrement, il n'avait pas vraiment peur. Il était sur ses gardes, certes, et il était aussi profondément ému, mais ce n'était pas de la peur. La bête semblait d'ailleurs à peu près dans le même état d'esprit. Son cou s'était hérissé, ce qui la faisait paraître encore plus impressionnante, et ses babines étaient toujours retroussées, mais son grondement s'était calmé. Silencieuse, elle ne quittait pas l'enfant des yeux.

Les secondes s'écoulaient ; bientôt une minute, puis deux, puis trois... Ils continuaient à se regarder, les yeux dans les yeux, immobiles. Soudain la grosse bête lâcha un bref grognement guttural. Entièrement concentré, Ben répliqua en imitant l'intonation du blaireau à la perfection. À l'écho de son grognement, la grosse femelle cligna des yeux et son regard sembla s'adoucir. Ses babines se détendirent un peu et elle émit alors une espèce de jacassement rapide. De nouveau, Ben déploya son talent d'imitateur avec autant, sinon plus de succès. Pour faire bonne mesure, il grogna même à nouveau.

Un imperceptible mouvement au creux de sa paume lui rappela la présence des bébés souris. Les minuscules rongeurs étaient destinés à mourir de toute façon. Une fin rapide valait mieux que l'inanition et la mort lente. Ce fut donc avec compassion et comme à regret, en tout cas sans malice ni cruauté, qu'il prit lentement et précautionneusement du bout de sa main libre une des petites souris blotties dans son autre main. Entre son pouce et son index il pinça le crâne minuscule et sentit le tout petit corps s'affaisser. C'était la première fois qu'il tuait délibérément un animal, mais il ne s'attarda pas sur cette pensée. Lentement, toujours à plat ventre, il tendit le bras vers le blaireau, la souris morte pendant au bout de ses doigts. La grosse bête ne bougea pas, mais fronça le nez et montra les dents en silence.

Comme elle refusait de s'approcher, Ben émit à nouveau l'espèce de jacassement qu'il venait d'apprendre et jeta vers elle l'appât rose et menu, qui atterrit à quelques centimètres de son museau. Instantanément elle fit le gros dos et se mit à gronder, mais comme le garçon restait immobile, elle se détendit peu à peu. Son nez frémit à l'odeur du petit rongeur et alors, sans que son regard quitte Ben, elle baissa le museau et le flaira. Avec une délicatesse inattendue, elle ouvrit la bouche, saisit la proie offerte et redressa immédiatement la tête. Pendant encore un long moment elle fixa Ben, la moitié du petit corps nu dépassant de ses lèvres. Mais bientôt elle l'aspira et, après un ou deux coups de dents, l'avala.

Ben sourit et, d'un geste lent et mesuré, il prit une autre souris, l'occit de la même manière et la tendit à la mère blaireau du bout des doigts, mais cette fois en rampant imperceptiblement vers elle. Pour détourner son attention il imita son grognement, jacassa encore une fois, puis grogna à nouveau. Elle ne reculait pas, mais grondait en sourdine et ne semblait pas vouloir lui prendre la proie des doigts. Alors, une deuxième fois, Ben la lui jeta. Elle happa la souris sur-le-champ et la mangea. Ben en profita pour s'approcher.

Il n'y avait plus qu'un mètre à peine entre eux et la grosse femelle avait l'air beaucoup plus détendu. Elle ne se tenait plus ramassée en position de défense, ne montrait plus les dents ni ne grondait de façon agressive. Lorsque le garçon lui offrit la troisième souris, elle tendit le cou vers sa main puis le rentra aussitôt, comme prise d'un accès de prudence. Ben insista ; de nouveau elle approcha son museau, effleura la proie, et de nouveau elle rentra le cou, refusant l'offrande. Alors Ben laissa tomber l'appât verticalement, et comme elle se penchait pour le saisir, il baissa le bras jusqu'à ce que ses doigts effleurent la bande de fourrure blanche qui décorait son museau. Elle tressaillit et leva les yeux, mais sans gronder. Ben prit la dernière souris. Cette fois, après avoir pincé le petit crâne, il garda la bestiole au creux de sa paume et l'offrit ainsi à la mère blaireau, bras tendu, le dos de la main au ras du sol, tout en imitant son jacassement.

Avec moins d'hésitations qu'auparavant, elle se pencha et saisit délicatement l'offrande sans toucher la main du garçon. Tandis qu'elle mâchait, Ben s'approcha encore un peu et, alors qu'elle avalait, il lui effleura le menton. Elle se raidit mais ne recula pas. Alors Ben, tout en continuant à jacasser à mi-voix, lui toucha la joue, puis remonta vers son oreille ronde et velue. Elle se mit à trembler et un gémissement doux et bizarre lui échappa. Son oreille, nota Ben en la caressant, était fendue profondément, comme si on l'avait délibérément marquée, et il se demanda comment cela avait pu lui arriver.

Elle ne resta pas immobile très longtemps sous sa caresse. Au grand ravissement de Ben, elle détourna légèrement la tête et lui donna un bref coup de langue sur le poignet. Puis, avec un petit jacassement en guise d'adieu, elle fit demi-tour et s'en alla rapidement, de son bizarre trottinement de canard. À première vue, elle avait une démarche pataude et maladroite, mais elle chaloupait entre les hautes herbes à une allure étonnamment rapide. Ben lui emboîta le pas, toujours à quatre pattes, tâchant d'imiter son balancement fluide. Au bout de trois ou quatre mètres elle l'avait distancé sans effort, et il dut s'arrêter et s'asseoir profondément déçu de n'avoir pas été capable de la suivre, regrettant que la rencontre n'ait pas duré plus longtemps.

Il se releva et la chercha du regard mais elle avait disparu. Et aucun frémissement particulier dans l'herbe haute ne trahissait la direction qu'elle avait prise. Il jeta un coup d'œil au soleil qui baissait vers l'horizon et étouffa un petit cri. L'après-midi était plus avancée qu'il n'avait cru. Cela faisait longtemps qu'il avait quitté la maison et il était temps de rentrer. Il avait déjà fait, à regret, une centaine de mètres en direction de la ferme lorsqu'il se souvint des incisives de la souris avec leur sillon bizarre, et tâta la poche de sa chemise. Le petit bout d'os n'y était plus ; de toute évidence, il l'avait perdu en courant à quatre pattes après le blaireau.

Cette perte ne le désola pas trop. Il possédait un souvenir autrement merveilleux : il avait réussi à caresser un blaireau sauvage ! Il lui avait donné à manger, l'avait eu tout près de lui, ébahi par sa taille et le danger potentiel qu'il représentait ; il avait su imiter sa voix, sa démarche, il sentait encore la caresse fugitive de sa langue sur son poignet. Toute cette aventure le remplissait de bonheur et, lorsqu'il atteignit la maison, il en était encore tout rayonnant.

En arrivant, il n'en parla à personne, mais tous avaient constaté son air ravi. C'est son père, à l'heure du dîner, après la bénédiction du repas, qui en fit le premier la remarque.

« Je ne sais pas ce que tu as fait aujourd'hui, fiston, dit-il en lui mettant une main sur l'épaule, mais tu as l'air d'avoir pris du bon temps. Depuis que tu es rentré, tu n'as quasiment pas arrêté de sourire. Tu t'es bien amusé, non ? »

Il n'attendait pas de réponse. Au mieux, le gamin baisserait le nez, hocherait peut-être la tête. Aussi fut-il aussi étonné que les autres lorsque Ben le regarda droit dans les yeux avec un grand sourire, et opina vigoureusement, avant d'ajouter :

« Oh ouais, P'pa. Drôlement bien ! »

William fut si surpris qu'il en resta bouche bée. Il quêta le regard d'Esther à l'autre bout de la table et elle lui fit un léger signe de tête, sourcils levés, pour l'encourager à continuer. John n'était pas moins surpris, et Beth avait pouffé de rire, mais c'est Coral qui posa la question la première :

« Alors Benjy, qu'est-ce que tu as fait ? Tu as vu quelque chose ? »

Il la regarda et hocha de nouveau la tête.

« J'ai vu un grand gros blaireau.

— Un blaireau ! » William MacDonald avait retrouvé sa voix, mais on y percevait de la désapprobation. « Ne va surtout pas te frotter à cet animal, Ben. Ils sont vicieux et un petit garçon comme toi pourrait bien se faire éventrer en deux coups de patte. Espérons que George Burton l'attrapera avec un de ses pièges. »

Le sourire de Ben se volatilisa. Son front s'assombrit et ses lèvres se mirent à trembler. Il baissa les yeux, pencha la tête sur son assiette et se tut. Une porte, à peine entrouverte, venait de se refermer.

4

Dame Blaireau ne retourna pas immédiatement à sa tanière après sa rencontre avec Benjamin. C'était bien la première fois qu'elle se trouvait nez à nez avec un être humain alors qu'elle chassait. Mais, alertée par l'envol du faucon, elle était arrivée avec le vent derrière elle sans que son flair puisse détecter l'odeur du garçon, dont la présence lui avait échappé puisqu'il était à plat ventre et parfaitement silencieux.

Plus surprenant était le fait qu'elle ne se soit pas enfuie

immédiatement en le voyant. Plus étrange encore, ce qui s'était passé ensuite : non seulement elle avait accepté la nourriture qu'il lui tendait, mais elle l'avait laissé poser la main sur elle. Et pourtant, d'une façon sans doute instinctive, elle avait semblé comprendre tout de suite qu'il ne représentait aucun danger pour elle. Sa petite taille avait peut-être été le facteur déterminant. Il ne faisait guère que cinq ou six kilos de plus qu'elle et, s'il était plus grand, elle était nettement plus large et bâtie plus en force. Elle avait dû se rendre compte qu'elle avait l'avantage sur lui et, paradoxalement, c'est donc la fragilité de Ben qui avait joué en sa faveur.

Néanmoins, cette rencontre l'avait décontenancée et elle ne se remit à chasser activement qu'après avoir mis plus d'un kilomètre entre elle et le lieu où elle avait laissé le garçon. Les quatre bébés souris avaient été pour elle de vraies friandises, mais n'avaient guère fait que lui ouvrir l'appétit. Normalement elle vivait et chassait la nuit, comme tous les animaux de son espèce. L'homme n'a donc guère l'occasion de voir des blaireaux, même de loin. Ces derniers jours cependant, elle avait presque constamment faim et sortait chasser le jour presque autant que la nuit, surtout pour alimenter ses glandes mammaires, car il lui fallait maintenant allaiter les trois rejetons qui l'attendaient dans sa tanière.

Depuis leur naissance, ils avaient considérablement grossi, mais ils étaient encore fragiles, et aussi aveugles qu'au premier jour. Pendant quelque temps encore, ils resteraient entièrement dépendants de leur mère, mais d'ici deux semaines leurs yeux s'ouvriraient et ils seraient alors prêts à être sevrés. À ce moment-là, elle commencerait à leur apporter du vrai gibier : chiens-de-prairie, tamias[1], lièvres, poulets sauvages, souris, et dans la tanière obscure, ce seraient d'interminables batailles pour rire ; au milieu des grognements et des couinements, les petits se disputeraient les proies encore tièdes, se jetant dessus férocement et jouant à les tuer de nouveau avant de s'en gaver. Alors son fardeau de mère nourricière s'allégerait un peu car, dès que les petits seraient sevrés, leur père, qui était resté dans le secteur et qu'elle voyait parfois, participerait à la chasse quotidienne. Les oiseaux, grenouilles, lézards et autres petits rongeurs qu'il attraperait seraient laissés près du terrier et c'est la femelle qui les apporterait aux petits à son prochain retour de chasse.

À mesure que les trois petits blaireaux grandiraient, les efforts combinés de leurs deux parents ne seraient pas de trop pour satisfaire leur appétit grandissant. Les adultes seraient fort occupés tout ce temps-là et ce n'est qu'à la mi-juillet, lorsqu'ils auraient atteint les deux tiers de leur croissance, que les petits émergeraient enfin pour la première fois de cette tanière souterraine où ils étaient nés. Alors ils commenceraient à accompagner leur mère dans ses sorties, et elle leur enseignerait les techniques de chasse qui leur permettraient de se nourrir tout seuls.

---

1. Les tamias, qu'on appelle *suisses* au Québec, sont de petits écureuils rayés qui vivent au sol et creusent aussi des terriers.

Mais en attendant, elle consacrait la quasi-totalité de son énergie à chasser. Elle se dirigea vers la plus grande colonie de chiens-de-prairie de ce secteur, qui se trouvait à cinq kilomètres à l'ouest de son repaire. Des centaines de « taupinières » d'un pied de haut indiquaient leur présence, mais ce « village » était en fait relativement peu étendu et possédait à peine un millier de résidents. La région de Winnipeg, où l'herbe est haute et épaisse, était en effet près de la limite septentrionale de peuplement de ces petits rongeurs à queue noire. Ils préféraient la végétation plus clairsemée des territoires du Dakota et au-delà. Là, les colonies de chiens-de-prairie étaient immenses. L'une d'entre elles commençait au Dakota et s'étirait loin au cœur des terres des Indiens Cheyennes. Elle regroupait quatre cents millions d'individus, ce qui paraît incroyable. À l'époque, le Texas venait de lancer une campagne d'éradication de ces rongeurs qui avaient été déclarés nuisibles car ils dépassaient là-bas les sept cents millions et disputaient l'herbe au bétail dont s'enorgueillissait l'État.

La mère blaireau fit trois pauses brèves avant d'atteindre sa destination. La première, après avoir levé par hasard une grouse en train de couver. La grosse poule sauvage s'éloigna en titubant et en battant de l'aile comme si elle était blessée, espérant par cette mimique attirer sur elle la voracité de l'autre. Mais elle avait quitté son nid trop tard et, à la vue de la dizaine d'œufs entassés dans un vague creux entre les herbes hautes, dame Blaireau se détourna d'elle et la laissa à sa vaine panique.

Puis, un par un, elle brisa d'un coup de dents les œufs olivâtres, tachetés de cannelle, pour en laper le contenu.

Quand elle eut fini, sans un regard pour la grouse qui, à quelques pas de là, caquetait encore désespérément, elle se pourlécha les pattes de devant et reprit aussitôt son chemin vers l'ouest. Mais cela n'avait été qu'un autre amuse-gueule qui n'avait guère apaisé sa faim.

Cent mètres plus loin, elle s'arrêta brièvement pour flairer le gîte encore chaud d'un lièvre à bottes blanches. De toute évidence il l'avait entendue et venait de s'enfuir. Elle ne perdit pas son temps à essayer de le pister, d'ailleurs les blaireaux chassent rarement à la course ; mais elle avisa un églantier tout près, y happa un gratte-cul et reprit sa route en mâchant le fruit sauvage.

Enfin, alors que les taupinières du village étaient en vue, elle attrapa un gros criquet noir qui avait eu l'imprudence de sauter juste sous son nez. Sa patte se détendit, épinglant l'insecte au sol. Un instant plus tard, il avait rejoint dans son estomac les bébés souris et les œufs de grouse.

Relevant la tête, elle contempla devant elle la colonie de rongeurs. De nombreux chiens-de-prairie s'affairaient au loin autour de leurs monticules, ou bien faisaient le guet assis dessus, dressés comme des écureuils. Les dangers éventuels ne manquaient pas : éperviers, aigles, furets, coyotes, lynx, blaireaux et autres prédateurs. Presque immédiatement, un des guetteurs l'aperçut, émettant aussitôt un jappement aigu, suivi d'une espèce de roulade perçante comme un coup de sifflet. La vitesse à laquelle les autres disparurent dans leurs trous à ce signal était presque comique. L'un d'eux, qui avait dû s'éloigner de chez lui, détala si vite qu'il trébucha, boula, retomba sur ses pattes et se remit à courir sans s'arrêter. Arrivé à son terrier, il s'immobilisa une seconde, dressé de tout son haut, ses yeux balayant l'horizon, puis il plongea dans son trou en laissant derrière lui, comme suspendu dans l'air, l'écho d'un jappement d'alerte.

Dame Blaireau se dirigea vers l'endroit où le dernier avait disparu. Elle n'avait pas l'air particulièrement pressée. Sa technique de chasse pour ce genre de proie, qu'elle préférait à toutes les autres, était presque infaillible. Mais elle lui demandait une dépense d'énergie considérable.

Elle s'arrêta un instant pour flairer l'entrée du terrier mais ne s'y attarda pas ; elle se mit au contraire à en faire le tour en décrivant une spirale qui allait s'élargissant, ponctuant sa marche circulaire de petits grognements essoufflés. Elle était à quatre ou cinq mètres du trou lorsqu'elle s'arrêta. Rien à la surface du sol ne semblait distinguer cet endroit particulier. Elle se mit à creuser sur-le-champ, presque verticalement, à un rythme infernal. Il est impossible de savoir comment s'y prennent les blaireaux, mais le fait est qu'elle avait localisé avec précision l'endroit exact où il lui fallait creuser pour atteindre sa proie. D'autre part, aucun autre animal du continent nord-américain ne sait creuser aussi vite, et la rapidité avec laquelle elle avait percé le tunnel de son propre terrier n'était rien comparée à celle où elle travaillait maintenant. En moins d'une minute, seuls son derrière et sa queue épaisse et sombre affleuraient encore. Une demi-minute plus tard elle avait complètement disparu : seules les gerbes de terre qui jaillissaient du trou, et aussi ses grognements asthmatiques, trahissaient sa présence. En moins de trois minutes, elle avait creusé un tunnel de près de deux mètres et son instinct étonnant l'avait amenée pile sur la galerie d'accès, tout près de la tanière du chien-de-prairie. Elle se mit aussitôt à élargir le passage afin de pouvoir piéger l'animal dans ses appartements.

Son incroyable sens de l'orientation ne pouvait cependant pas la renseigner sur un point important : la tanière avait-elle une issue de secours en plus de la galerie principale ? S'il en était ainsi, tous ses efforts auraient été vains car le gros rongeur s'échapperait alors dans un labyrinthe de galeries annexes. Si, en revanche, son estimation avait été correcte, cette galerie devait mener à une tanière en cul-de-sac, un nid isolé au bout du réseau de tunnels. Le refuge du chien-de-prairie se transformerait pour lui en piège fatal.

Et c'était bien le cas. En débouchant dans la galerie d'accès, elle tendit l'oreille. Malgré sa respiration laborieuse, elle entendit quelque part devant elle le maître de céans qui, coincé, tentait désespérément de creuser une issue de secours. Or, tout expert qu'il soit en terrassement, le chien-de-prairie ne peut égaler la vitesse du blaireau en la matière. En quelques secondes, la mère blaireau se retrouva dans la tanière du rongeur et se rua dans l'entrée du tunnel que celui-ci venait à peine d'entamer. En quelques coups de griffes, elle en élargit le diamètre, s'y fraya un passage et bientôt il y eut un petit cri étouffé : d'un coup de sa mâchoire robuste, elle venait de tuer sa proie en lui brisant les reins.

Le rongeur inerte bien calé dans sa gueule, elle revint à reculons dans la tanière, fit demi-tour non sans mal, puis repartit vers la surface par la galerie presque verticale qu'elle avait creusée pour entrer, et se retrouva à l'air libre. La totalité de l'opération avait duré cinq minutes, et la chasse avait été fructueuse ; elle déposa sur le sol sa proie, qui faisait bien trois livres, et s'ébroua pour se débarrasser de la terre qui collait à sa fourrure dense.

Le chien-de-prairie était un adulte mâle de bonne taille, long d'environ un pied et demi. Il avait une queue courte, noire à son extrémité, et son poil était d'un jaune beige sur le dessus, blanchâtre au-dessous. C'était un fardeau assez lourd mais elle l'assura entre ses dents, le souleva, et prit le chemin du retour.

À huit cents mètres de chez elle, alors qu'elle trottinait obstinément tout en grognant et soufflant sous l'effort, une odeur puissante et bizarre assaillit ses narines. Sans lâcher sa proie elle fit une pause et renifla à plusieurs reprises. Elle trouvait ces nouveaux effluves particulièrement attirants. Et si elle n'avait eu cette proie fraîche à rapporter à sa tanière, elle aurait certainement fait le détour.

Elle reprit donc son chemin et entendit bientôt ses petits piailler d'excitation dès qu'elle fut engagée dans son terrier. Elle descendit son gibier dans la tanière et s'allongea pour dîner en paix. Mais elle était à peine installée que ses trois rejetons, miaulant, piaulant et fouillant sa fourrure de leurs museaux avides, se jetaient sur ses tétons gorgés de lait. Cela faisait cinq heures qu'ils n'avaient pas tété et ils étaient affamés.

Elle ne mangea qu'un quart environ du gros rongeur qu'elle avait tué puis, l'estomac plein et la respiration plus calme, elle fit à grands coups de langue la toilette des bébés, après quoi elle se recoucha et s'endormit tandis qu'ils continuaient à téter. Ce qui restait de sa proie serait sa réserve de nourriture pour les trois ou quatre jours à venir, qu'elle passerait au nid à se reposer auprès de ses petits, en attendant qu'à nouveau la faim la force à sortir pour chasser.

Au-dehors, tandis que le jour baissait, l'odeur puissante et inconnue qui l'avait arrêtée un moment aiguisait l'appétit d'un autre blaireau, le père des petits. Il venait d'émerger d'une journée de sommeil et s'apprêtait à passer la nuit à chasser. Il était aussi gros qu'elle, peut-être même un peu plus. Il aurait pu passer pour son frère jumeau tant il lui ressemblait, à ce détail près que sa tête de mâle était légèrement plus large, son crâne un peu plus massif. Il était à moins de cent mètres de son propre terrier lorsque l'odeur alléchante lui parvint et il obliqua aussitôt pour aller voir d'où cela provenait.

Les sardines ont un arôme lourd et huileux, et bien que le blaireau ignorât ce dont il s'agissait, son odorat lui disait que ce devait être du poisson et que c'était bon à manger. Il fit quatre cents mètres sans une seconde d'hésitation avant de parvenir au point d'où émanait cette odeur appétissante et nouvelle.

S'il avait fait une pause, pris son temps, s'il s'était approché avec plus de prudence, il aurait pu détecter une odeur de métal et peut-être, plus élusive encore, une trace d'odeur humaine. Mais le lourd parfum des sardines masquait tout le reste et il n'hésita pas. La chasse de la nuit précédente avait été maigre – deux campagnols et une souris sauteuse – et la faim le rendait négligent. De la terre avait été fraîchement retournée à l'endroit où l'odeur était la plus forte et il se mit à creuser sur-le-champ. À peine avait-il commencé que quelque chose sembla jaillir du sol en même temps qu'une douleur intense lui paralysait les pattes antérieures.

Il recula en titubant, avec un grondement féroce, mais lorsque le piège d'acier, arrivé au bout de sa chaîne, entama encore plus profondément les muscles de ses pattes, la secousse cassa son élan et il fut jeté à terre. Il se mit à crier, à hurler, à labourer le sol en essayant frénétiquement de se libérer, attaquant le métal froid de ses mâchoires impuissantes, retombant chaque fois qu'en se débattant il tirait la chaîne jusqu'au bout.

Car le dernier anneau de cette chaîne était solidement fixé à un pieu épais qui avait été planté si profondément dans le sol qu'on ne le voyait plus. Si le blaireau avait été capable d'analyser la situation, malgré ses deux pattes avant captives, il aurait pu creuser autour du pieu, l'arracher et s'enfuir en traînant le piège avec lui. Mais ce genre de raisonnement dépassait ses capacités. Il ne comprenait qu'une chose : il était prisonnier, et son instinct le poussait à se battre et à se débattre, à mordre le piège qui l'entravait.

Toute la nuit il continua cette lutte inégale. Par moments il reprenait son souffle, grondant et donnant des coups de dents au piège ou même à ses propres pattes entravées, parfois couché de tout son long à l'extrême limite de la chaîne tendue, haletant, et gémissant sous la morsure de la douleur.

C'était un des pièges que George Burton avait placés en bordure des terres de MacDonald. S'il était adroit poseur de pièges, il les relevait avec une certaine négligence. Le blaireau passa deux nuits et presque deux journées à souffrir en vain, tandis qu'à force de lutter son énergie s'épuisait et la soif et la faim s'ajoutaient à sa torture. Il s'était battu si furieusement la première nuit qu'en fin d'après-midi, le deuxième jour, il ne restait pas un brin d'herbe, pas un pied carré de terre intact dans le cercle où la chaîne du piège le tenait captif.

Couché sur le flanc, le blaireau semblait trop faible pour tenir sur ses pattes, mais au bruit du cheval de Burton, il se redressa dans un dernier effort pour se libérer. La lutte s'avéra vite aussi inutile qu'avant, alors il se ramassa en boule et attendit les nouveaux arrivants, grondant et montrant les dents lorsque le trappeur mit pied à terre.

Lobo, le grand chien jaunâtre, n'était pas avec lui. Burton avait décidé de ne pas s'encombrer de lui si près de la maison. Ça ne faciliterait pas son travail de répandre l'odeur du chien autour des pièges, sans compter que Lobo risquait de se blesser en allant gratter là où il ne fallait pas. Burton s'approcha.

« Tiens donc, marmonna-t-il. On dirait qu'en fait de coyote j'ai piégé une collection de brosses à raser. Mais oui, mais oui. »

Il se tenait prudemment hors de portée, ce qui ne l'empêcha pas de faire un bond en arrière lorsque l'animal se jeta vers lui avec un grondement terrible, pour retomber aussitôt, son élan brisé par la chaîne tendue à rompre. Le blaireau était encore bien vivant et ne montrait aucun signe de frayeur. Il affichait au contraire une agressivité mortelle pour cet homme qu'il ne pouvait atteindre.

Burton avait une carabine, mais il l'avait laissée dans le fourreau de cuir arrimé à la selle de son cheval. Il n'avait pas l'intention de gaspiller une cartouche, ni d'endommager une fourrure alors que ce n'était pas nécessaire. Au lieu de cela, il tira de derrière sa selle un manche de masse de deux pieds de long. Ce gourdin à la main, il s'avança vers le blaireau et s'arrêta à la limite du cercle où se débattait l'animal, jusqu'à ce qu'il s'épuise et reste là, pantelant, à le regarder d'un air furieux.

Burton maniait le gourdin avec la dextérité d'une longue expérience. Il porta au blaireau un coup oblique, d'une précision mortelle et d'une violence impitoyable, en travers de l'arcade sourcilière et de l'arête du museau. La bête se raidit, ses pattes postérieures se tendirent en un dernier spasme terrible, puis tout son corps s'affala. Burton ne redoubla pas son coup. Ce n'était pas la peine. Il était rare en effet qu'il soit obligé d'achever de plus d'un coup les animaux qu'il avait piégés.

Tout le périmètre était imprégné d'une puissante odeur de musc. Tout en fronçant le nez de dégoût, il ouvrit d'un geste désinvolte mais précis les mâchoires du piège, pour libérer les pattes à demi mutilées du blaireau. Puis il les attacha à l'extrémité d'une lanière de cuir et souleva l'animal.

« Seigneur Dieu, dit-il entre ses dents, mais tu pèses au moins aussi lourd que le gamin des MacDonald ! »

Il porta sa prise jusqu'à sa monture. Le cheval broncha un peu, mais Burton réussit à poser la dépouille en travers, derrière la selle. Puis, tendant le bras sous le ventre du cheval, il tira à lui l'autre extrémité de la lanière, qu'il noua soigneusement aux pattes postérieures du blaireau, arrimant fermement le bout qui restait à un anneau de métal fixé à la selle. Il lui fallut un peu plus de temps pour déterrer le pieu qui avait servi d'ancrage au piège, mais il eut bientôt chargé tout son équipement et fut prêt à partir. Cet endroit, labouré par les griffes du blaireau et imprégné du musc qu'il avait émis en se débattant, resterait pour une saison au moins impropre à la pose de pièges, Burton le savait.

La maison des MacDonald était relativement proche et surtout, elle se trouvait sur son chemin. Aussi, dirigeat-il son cheval dans cette direction. Cela plairait sans doute au fermier de voir qu'il avait réussi à piéger ces blaireaux qu'il n'aimait guère sur ses terres. Il n'avait pas fait un kilomètre lorsque soudain il tira sur les rênes et mit pied à terre. S'éloignant de quelques pas, il s'accroupit pour observer, le sourcil froncé, un gros trou ovale qui s'enfonçait obliquement dans le sol.

« Tiens, tiens, tiens, marmonna-t-il. Regardez-moi ça. On dirait qu'il y a du blaireau dans le coin. Et du gros, même. » Il retourna à sa monture et posa la main sur l'échine du blaireau mort. « Ça serait pas ta tanière, ça, des fois ? Quoique, non, ça m'étonnerait. À voir comme c'est propre autour, je crois bien qu'on est tombés sur un nid. Avec un peu de chance, on devrait bientôt pouvoir récupérer ta bourgeoise. »

Il se mit aussitôt au travail, toujours rapide et précis, évitant les gestes inutiles, soucieux d'arriver à Hawk's Hill avant la nuit. De longues années dans ces régions sauvages lui avaient appris qu'il peut être fort malsain d'arriver chez quelqu'un après la tombée de la nuit sans s'être annoncé à l'avance. Il y avait des gens qui paniquaient pour pas grand-chose et préféraient tirer d'abord.

Burton recula d'une vingtaine de mètres et s'arrêta près d'une grosse dalle rocheuse qui sembla le satisfaire. Il creusa un trou d'un pied de diamètre, profond d'une quinzaine de centimètres. Empoignant le piège d'acier, il défit le gros fil de fer qui reliait le bout de la chaîne au pieu et, soulevant à grand-peine la dalle, l'y fixa solidement. La lourde pierre, qui faisait une trentaine de kilos, servirait avantageusement de point d'ancrage. Il ne voulait pas réutiliser le pieu, car les coups de masse risquaient d'alerter la femelle si elle était là : alors elle déménagerait dès qu'il serait parti, emmenant sa nichée avec elle. Burton connaissait bien son gibier.

Une fois le fil de fer bien arrimé, il sortit de son sac une grosse boîte plate, l'ouvrit et plaça les trois quarts des sardines qu'elle contenait au fond du trou qu'il venait de creuser. Puis il arma le piège, s'assurant que la lame du ressort était suffisamment engagée dans la fente du déclencheur pour résister au poids de la terre qui recouvrirait le tout, mais suffisamment sensible encore pour réagir à la patte délicate d'un blaireau. Son expérience seule dictait la précision de ce réglage.

Une fois le piège armé, il le déposa dans le trou, sur les sardines, avec d'infinies précautions, et disposa pardessus une large feuille plate. Celle-ci empêcherait la terre de s'ébouler sous le déclencheur, ce qui aurait risqué de le coincer. Alors il enfila un gant de cuir pour masquer sa propre odeur, saupoudra le piège avec de la terre meuble. Enfin, il déposa dessus ce qui restait de sardines dans la boîte, sauf une, et continua à émietter de la terre jusqu'à ce que tout le dispositif soit bien dissimulé. Puis il ratissa des herbes sèches dont il recouvrit la terre meuble, la chaîne et le fil de fer qui ceinturait la grosse pierre d'ancrage.

Il enfourna, comme toujours, la dernière sardine dans sa bouche et, tout en mastiquant bruyamment, il se releva et fit un pas en arrière pour inspecter son travail. C'était de la belle ouvrage : à moins d'être au courant, personne n'aurait pu deviner la présence du piège. Comme le blaireau qu'il venait de capturer, le premier animal alléché par l'odeur des sardines qui viendrait creuser là serait pris avant d'avoir vu les mâchoires d'acier jaillir du sol pour lui happer la patte.

« J'ai encore un sacré coup de main, dit Burton à mi-voix, sur un ton satisfait. Allez viens, mon cheval. On a un bout de route et une visite à faire. »

5

Une heure avant la nuit noire, George Burton descendit de son cheval devant la maison des MacDonald à Hawk's Hill. La famille était sur le point de passer à table et Esther eut beau jeter à son mari un regard contrarié, on ne pouvait rien faire d'autre, elle le savait bien, qu'inviter le trappeur à partager le repas du soir. MacDonald était tout aussi mal à l'aise que sa femme mais il parvint à le dissimuler de façon convaincante, surtout lorsque l'autre accepta son invitation avec un enthousiasme bruyant. Le dîner pouvait attendre un peu, et toute la famille sortit contempler le gros blaireau que Burton avait tué.

Tirant du fourreau de cuir qu'il portait à la ceinture un couteau de chasse à manche d'os, Burton trancha la lanière et libéra la masse grise de l'animal qui tomba sur le sol avec un bruit sourd. De toute la famille, Ben fut le seul à ne faire aucun commentaire admiratif sur la prise de Burton. Il se tenait un peu en retrait des autres, le visage pâle, sans expression.

« Je l'ai eu, et bien eu, claironnait Burton. Par les *deux* pattes de devant en plus ! Le blaireau, on est bien content quand il vient renifler l'appât, méfiant comme il est. Mais les deux pattes ! »

Esther et les deux filles rentrèrent dans la maison, Burton continua à parler tandis que le père de Ben et son grand frère, accroupis, inspectaient la dépouille de l'animal.

« On a peine à croire que ce bestiau soit cousin germain du vison, de la loutre et de la martre, non ? Il a bien failli m'ouvrir le ventre avant que je l'assomme ! »

MacDonald se contenta de hocher la tête tandis que John soulevait prudemment les pattes en sifflant d'admiration.

« Regarde un peu, P'pa, la taille de ses griffes. Pas étonnant qu'ils creusent si vite ! »

William MacDonald hocha de nouveau la tête et, du bout d'un doigt, souleva la lèvre du blaireau. Ses dents apparurent, une des canines cassée au bout et fendue sur toute sa longueur à force d'acharnement sur l'acier du piège, mais l'ensemble de sa dentition était encore impressionnant. Burton gloussa dans sa barbe.

« Et en plus, il sait s'en servir, de ses griffes, et de ses dents pareillement. Tu peux me croire, mon garçon. J'en connais pas dans sa catégorie qui soit plus féroce, sauf peut-être le carcajou, et encore. Mon chien, le Lobo, qu'est pas du genre à se laisser faire, il y regarde à deux fois avant d'aller se frotter à un blaireau. Faut dire qu'il a eu la chance de prendre une bonne leçon tout jeune. Une des premières fois que je l'emmène chasser, voilà qu'on tombe sur une de ces bestioles qui s'était fait piéger une patte de derrière. Le Lobo se jette dessus. Jamais vu de ma vie une bagarre pareille. Et c'est le blaireau qui avait le dessus, tout piégé qu'il était ! M'a fallu rentrer dedans avec mon gourdin et l'assommer avant qu'il me bouffe mon chien. C'est qu'il a boité pendant bien deux semaines après ça, le Lobo, sans compter les pansements et tout. Alors maintenant, il se méfie. Il a pas peur du blaireau, non. Mais disons qu'il le respecte. »

MacDonald avait tiré quelques poils de la bête et les observait avec attention à la lumière du soleil couchant.

« Voilà une chose étonnante, dit-il. J'avais toujours cru que leur fourrure était grise, mais pas du tout. Regarde, John. » Le garçon se rapprocha. « Tu vois, chacun de ces poils est gris à la racine, mais ensuite il devient blanc, puis carrément noir. Et là, tout au bout, il y a comme une pointe argentée. »

Burton émit un grognement d'approbation, sans

paraître se rendre compte que jusque-là, ni lui ni ses commentaires n'avaient soulevé beaucoup d'intérêt :

« C'est vrai qu'il change un peu de couleur avec les saisons. Sa tête reste à peu près la même, mais la bestiole est plus claire, disons plus grise, en hiver qu'en été. Celui-là, il est comme qui dirait entre les deux. Mais dans quelques semaines il aurait eu le ventre quasi jaune, au lieu de ce blanc, et son dos aurait été plus marron. »

« À table tout le monde ! » lança Esther depuis le seuil.

Les deux hommes et l'adolescent se relevèrent et, après être allés se laver les mains à la fontaine, entrèrent dans la maison. Ben resta planté là où il était. Un instant plus tard, la voix de son père résonnait.

« Ben !... *Ben !*

— Allez-y, servez-vous, dit Esther. Je vais aller le chercher. »

Elle sortit, vit Benjamin toujours debout au même endroit et s'approcha de lui. Elle se pencha, passa son bras autour de ses épaules et le serra contre elle.

« Ben, mon chéri, dit-elle à voix basse. Maman a préparé un bon dîner. Tu n'as pas faim ? »

Ben secoua la tête sans la regarder. Il avait les yeux rivés sur le cadavre du blaireau. Elle hocha la tête, puis elle le serra de nouveau et l'embrassa sur la joue.

« Je vais te mettre une assiette de côté, au cas où tu aurais faim plus tard. Il fait bon, tu peux rester un moment dehors si tu veux, mon chou. »

Elle rentra dans la maison et Ben l'entendit expliquer

aux autres qu'il mangerait plus tard, qu'elle lui avait permis de rester dehors. Après cela, pendant un bon moment il n'y eut plus que le bruit des couverts dans les assiettes, entrecoupé de remarques éparses. Ben n'écoutait plus. Pour la première fois il s'approcha du blaireau mort et tendit la main vers lui. La fourrure était hirsute et pourtant douce au toucher, mais le corps était froid et commençait à se raidir.

Le blaireau était allongé sur le flanc droit, et Ben le fit rouler doucement sur le ventre. Il redoutait de découvrir l'oreille fendue. Mais non, elle était intacte. Ce n'était pas le blaireau qu'il avait rencontré dans la Prairie et une vague de soulagement submergea le garçon. Il s'assit près du gros animal et se mit à caresser légèrement l'épaisse fourrure, émettant du fond de la gorge une sorte de roucoulement, entrecoupé parfois de ce jacassement à mi-voix qu'il avait appris de la mère blaireau.

Dans la maison, la conversation s'animait et, bien que Ben n'y prêtât guère attention, les voix parvenaient clairement dans la cour. Comme on pouvait s'y attendre, c'est Burton qui parlait le plus et sa voix montait et descendait, ponctuée de ce gros rire qui avait toujours quelque chose de forcé.

« Notre blaireau, à ce qu'on m'a dit, serait pas d'aussi bonne qualité que celui d'Europe, mais il est pas si mal que ça. Une peau comme celle-là qu'est dehors, ça va quand même chercher dans les douze, quinze dollars. C'est sûr que ça fait pas une fourrure aussi jolie que le castor ou la loutre, mais on en fait des tas de choses.

— Des manteaux ? demanda John.

— Des fois. Si on la tanne avec les poils, ça vous garde au sec sous la pluie sans problème. Paraît qu'on en fait aussi des manchons pour se tenir les mains au chaud, dans l'est, et des cols de fourrure, pour les dames l'hiver. Mais il y a surtout les brosses à raser. Pour un bon blaireau, rien de tel qu'un vrai blaireau ! »

Il souligna d'un éclat de rire sans gaieté sa fine plaisanterie et continua.

« Autrefois, on n'avait même pas la peine de l'écorcher. Suffisait de raser le blaireau. »

Encore ce rire rocailleux.

« Comment ça ?

— Eh ben, on rasait la bête proprement et on vendait le poil au poids. Ha, ha ! Jusqu'à quatre-vingts, quatre-vingt-dix dollars la livre. Mais un jour, ils en ont plus voulu ; allez savoir pourquoi ! Maintenant ce qu'ils recherchent, c'est la fourrure entière, avec la peau bien propre. On la sale pour qu'elle se garde. Franchement, je vois pas la différence si au bout du compte c'est pour faire des brosses à raser, mais c'est comme ça. Ils disent que le blaireau d'Europe est meilleur parce qu'il a des poils un peu plus raides, mais le nôtre se vend encore bien, sinon je serais pas là ! Paraît qu'ils en font aussi des pinceaux pour les artistes, c'est vous dire.

— Eh bien, je suis content d'apprendre qu'ils servent à quelque chose, dit William MacDonald. Parce que pour ma part, je les ai toujours considérés comme un vrai fléau. Deux de mes chevaux se sont brisé les jambes dans des terriers à blaireaux et j'ai été obligé de les abattre. Je crois qu'ils font aussi des trous quand ils chassent le gaufre et le chien-de-prairie. Ceux-là aussi sont des empoisonneurs, mais au moins leurs trous sont plus petits et, avec leur taupinière juste à côté, on les repère de loin et on peut faire attention. »

La conversation languit un moment. Dehors, Ben était toujours aussi indifférent à ce qui pouvait se dire. Le soleil était couché depuis quelque temps et la nuit approchait. La fourrure du blaireau paraissait maintenant gris sombre, mais le sillon blanc qui divisait son museau se détachait très nettement dans la pénombre.

Dans la maison, on avait allumé des lampes. Il y avait des bruits de vaisselle : on était en train de desservir, et la conversation reprenait. La grosse voix de Burton roula à nouveau.

« Madame, faut que je vous fasse mes compliments pour ce dîner. Avec mes remerciements les meilleurs. »

Ben n'entendit pas la réponse de sa mère, mais Burton reprit :

« Regarde un peu ça, mon petit gars. »

De toute évidence, il s'adressait à John.

« Qu'est-ce que c'est, monsieur Burton ?

— Une dent, tu vois bien. Un croc de blaireau. Je connais pas de porte-bonheur plus efficace. J'en ai toujours un dans la poche. Les Pieds-Noirs, les Sioux, les Cheyennes, ils se le mettent en collier autour du cou. Ils pensent qu'il y a rien de mieux pour éloigner le diable. Et ça doit marcher, leur truc. Parce que moi, le diable, je l'ai encore jamais rencontré ! conclut-il d'un rire toni-truant.

« Vous avez jamais mangé du blaireau, MacDonald ? continua-t-il après une pause. Ah, vous devriez essayer. Moi, j'ai jamais rien goûté de meilleur nulle part. Surtout les cuisses. Et j'en ai mangé, du gibier ! Ça vaut tous les steaks d'élan. Et l'élan, tout le monde sait que c'est de premier choix. Eh bien moi je dis, une cuisse de blaireau c'est encore autre chose !

— Ça ne me tente pas beaucoup », dit MacDonald d'un ton exaspéré. Il ne supportait plus le bavardage de Burton, sa jovialité forcée, cette amabilité qui sonnait faux. Il repoussa sa chaise bruyamment, aussitôt imité par le reste de la famille. « Je crois qu'il serait temps de vous y mettre, Burton, si vous avez toujours l'intention de dépouiller ce blaireau avant de repartir. » Visible-ment, il aurait préféré que le trappeur s'en aille sans attendre.

« Je vais m'y mettre. Vous connaissez la technique ?

— J'ai écorché quelques coyotes et des loups, et puis pas mal de rats musqués et de castors, il y a de ça des années. Mais de blaireau, jamais.

— Eh ben alors, dépiautez-moi celui-là, c'est l'occa-sion. C'est pas plus compliqué qu'un castor. Allez-y, voyez voir si vous avez toujours la main. »

MacDonald hésitait, mais très vite John fit chorus :

« Oh ouais, P'pa. Vas-y. J'aimerais bien que tu me montres. »

Ils sortaient maintenant sur la véranda, et MacDonald

tenait à la main une lanterne allumée, bien qu'à l'ouest le ciel fût encore faiblement teinté des lueurs du couchant. Ben se redressa vivement et s'éloigna d'une dizaine de pas. Il regarda les hommes se diriger vers le blaireau et se raidit lorsque Burton, du bout de sa botte, retourna le corps figé. MacDonald déposa la lanterne près de la queue de l'animal et prit le couteau de chasse que Burton lui tendait.

Comme son père, à genoux près du blaireau, se préparait à inciser l'intérieur d'une des cuisses de la bête, les yeux de Ben s'agrandirent. Il poussa un cri aigu et se jeta en avant, heurtant John et Burton au passage, puis frappa le bras de son père qui, surpris, lâcha le couteau.

Depuis le début de la soirée, MacDonald était tendu. Irrité par la façon cavalière dont Burton s'était invité à dîner, puis avait monopolisé la conversation, il lui en voulait aussi de l'avoir plus ou moins contraint à faire son travail de trappeur : dépouiller le blaireau lui répugnait secrètement. Sa colère contenue éclata soudain, mais c'est Ben qui en fut la victime. D'un geste instinctif, il balança sa main ouverte et gifla le petit garçon à pleine volée. Sous le choc, l'enfant tituba puis, après quelques pas à reculons, tomba à la renverse. John se précipita pour l'aider, mais Ben s'était déjà relevé et s'enfuyait en gémissant vers l'obscurité de l'écurie, des sanglots plein la voix.

« Quelle bêtise ! dit alors MacDonald sur un ton amer, furieux contre lui-même. Quelle bêtise de faire une chose pareille ! »

Burton, qui n'avait rien compris, opina et dit :

« Ça oui. Faut jamais tolérer qu'un mouflet vous fasse un affront. Ça lui apprendra. M'est avis que si vous lui mettiez des claques plus souvent, ça lui mettrait un peu de plomb dans la tête, à ce drôle. »

MacDonald avait ramassé le couteau, et il fusilla Burton du regard sans plus dissimuler sa colère.

« Je parlais pour moi, dit-il d'une voix blanche. Je n'ai jamais frappé le petit, et ça n'est pas aujourd'hui que j'aurais dû commencer. Le pauvre gosse ne méritait pas ça. Mais il y a des jours où... Disons qu'il a payé pour... autre chose. John, dit-il en se tournant vers son aîné, va le chercher et ramène-le-moi. Dis-lui que je ne voulais pas lui faire de mal et que je suis désolé. »

John fit oui de la tête et partit vers l'écurie, mais à mi-chemin il obliqua vers la maison et y entra pour réapparaître aussitôt muni d'une lanterne. À grands pas, il reprit le chemin de l'écurie. MacDonald, pendant ce temps, avait commencé à écorcher le blaireau. Il travaillait vite et un silence pesant régnait entre lui et Burton. Il avait incisé verticalement l'intérieur de chacune des cuisses et pratiqué autour du sexe de l'animal une incision circulaire qui recoupait les deux précédentes. Il fit la même chose autour des deux pattes pour en détacher la peau.

« Attrapez les pattes », dit-il à Burton sèchement.

Le trappeur s'exécuta, et tandis qu'il tenait la bête fermement contre lui, MacDonald empoigna la peau qu'il venait de libérer et tira vers le bas. La fourrure retournée glissa le long du corps de l'animal comme un bas que l'on quitte. Il restait à libérer les pattes antérieures et la tête. Deux nouvelles incisions circulaires eurent raison des pattes, mais le travail fut un peu plus délicat pour les oreilles, les yeux et le museau, de sorte que, lorsque la carcasse de la bête fut enfin débarrassée complètement de sa peau, John était revenu de l'écurie. Il n'avait plus sa lanterne à la main.

« Ben est au fond du troisième box, P'pa. Je lui ai rapporté tes paroles, mais il a juste secoué la tête. Il ne veut pas venir. Je ne l'ai pas forcé ; j'ai pensé que tu n'aurais pas voulu. »

MacDonald soupira.

« C'est bien, John. Merci. Rentre, maintenant. »

Comme l'adolescent s'éloignait, son père se redressa et tendit le couteau à Burton, poignée en avant. Puis il ramassa la peau, la roula en boule et la jeta au trappeur. Enfin, poussant du pied l'animal écorché, il dit :

« Prenez aussi la carcasse en partant, Burton. Puisque vous aimez ça. »

Sans attendre de réponse, il pivota et partit vers l'écurie tout en s'essuyant les mains sur le fond de son pantalon. Il vit la lanterne que John avait laissée, posée sur le sol devant le troisième box et il s'approcha. Sa colère l'avait quitté, laissant la place à un remords qui ne fit que s'aggraver lorsqu'il aperçut le gamin, minuscule au fond de la stalle sombre, assis par terre, la tête sur les genoux, ses petits bras serrés autour de ses mollets.

MacDonald le rejoignit et s'assit dans la paille à côté de lui. Il resta un moment sans rien dire. Puis il tendit une main hésitante vers les cheveux ébouriffés du petit, mais n'alla pas au bout de son geste. Il se racla la gorge, hésita encore, puis se mit à parler.

« Ben, tu sais bien que je ne voulais pas te faire de mal. Je... j'étais en colère, mais ça n'était pas après toi... C'est ce Burton qui... Je ne l'ai pas fait exprès, je te le jure. Je ne voulais pas te frapper. Jamais je ne te ferais du mal exprès. »

Ben ne réagit pas, ne bougea pas, le visage toujours enfoui entre ses genoux. La main noueuse de son père se tendit à nouveau et cette fois se posa sur l'épaule du gamin. Sans en être sûr, MacDonald sentit un mouvement de recul.

« Ben, je suis désolé. Je t'en prie, crois-moi, je suis aussi triste que toi. Je sais ce que tu as dû penser. J'aurais dû faire attention. S'il te plaît, pardonne-moi... Tu veux ? Tu veux bien ? »

L'enfant ne réagissait toujours pas. MacDonald poussa un long soupir et sa main glissa de l'épaule de Ben. Il se releva et regarda son fils. Comme il était petit ! Je dois lui paraître immense ! se dit-il. Il aurait tellement voulu faire quelque chose, dire quelque chose qui fasse réagir Ben, qui établisse entre eux un contact, mais il ne savait pas quoi. Il soupira de nouveau. Avant de quitter le box, il s'arrêta pour se retourner. Ben n'avait pas bougé.

« Ta maman va venir te voir bientôt, je suis sûr. »

Esther et John étaient assis à la table de la cuisine et

l'attendaient. Les filles avaient été envoyées au lit. William MacDonald se laissa tomber sur une des chaises en secouant la tête. Il posa ses coudes sur la table et appuya son menton dans ses paumes ouvertes. Personne ne disait rien.

« Il est si petit, Esther, soupira-t-il au bout d'un moment. J'ai l'impression que c'est la première fois que je m'en rends vraiment compte. Il a fallu que je le frappe pour réaliser à quel point il est petit. Je l'ai frappé ! Bon Dieu, Esther, je ne suis qu'une brute ! Frapper un... un *bébé* ! »

Esther se leva et plaça ses mains sur les épaules de son mari. Elle se pencha et déposa un baiser sur le haut de son crâne.

« Je sais, Will, je sais. Parfois on ne se reconnaît plus. Des choses arrivent, on ne voudrait pas, mais on les laisse arriver. Je sais bien que tu ne l'as pas fait exprès. Tu lui as parlé ?

— Oui, je lui ai parlé. Mais, comme d'habitude, il est resté là sans rien dire, sans bouger, sans même me regarder. Je... je lui ai dit que j'étais désolé, mais je ne sais même pas s'il m'entendait. Esther, je l'aime notre Ben, il faut que tu me croies. Je l'aime encore plus que je ne croyais. Mais je n'arrive pas à communiquer avec lui. Pourquoi, Esther ? Est-ce ma faute ? Qu'est-ce que j'ai fait au Bon Dieu pour ne pas même être capable de parler à mon propre fils ?

— Ça viendra, dit doucement Esther. Tu verras. Il faut du temps, c'est tout. Du temps, de la compréhension et beaucoup de patience ; plus de patience, sans doute, que nous ne pensons en avoir. Mais tu verras, ça viendra.

— Mais oui, P'pa, intervint John. Ne t'en fais pas. »

Mais le regard qu'échangèrent à cet instant la mère et son grand fils semblait lourd d'appréhension et de doute. Le silence revint, et au bout d'un moment Esther se leva.

« Je vais aller voir Ben », dit-elle d'une voix douce.

6

Pendant trois jours après son retour de chasse, dame Blaireau resta dans sa tanière, passant le temps à allaiter ses petits, à faire leur toilette et à manger les restes du chien-de-prairie, le gibier qu'elle avait rapporté.

Comme tous les blaireaux, c'était une maniaque de la propreté et la tanière était entretenue minutieusement. Os, plumes, poils de fourrure, elle enfouissait toute espèce de déchet profondément sous le sol du tunnel de secours. Comme les chats, elle consommait les déjections (peu abondantes et peu fréquentes il est vrai) de ses bébés, qu'elle léchait ensuite soigneusement. Cette tâche peu agréable ne lui coûtait pas ; elle semblait même en tirer un profit nutritif. D'ailleurs, si son instinct ne l'avait portée à s'en acquitter régulièrement, la fermentation et la puanteur des excréments accumulés auraient rapidement rendu irrespirable l'air confiné de la tanière.

Elle-même, pour faire ses besoins, sortait toujours à bonne distance. Et même là, elle prenait toujours soin de creuser un trou pour les enterrer puis les recouvrir. Cette simple précaution (ne pas laisser de traces qui attireraient les prédateurs), elle n'y faisait exception qu'au moment de ses chaleurs car alors ses déjections, mêlées de musc, lui permettaient d'attirer un partenaire. Un blaireau mâle serait ainsi capable de détecter et de retrouver sa piste à une dizaine de kilomètres de distance.

Pour sa quatrième nuit consécutive dans la tanière auprès de ses petits, les restes du chien-de-prairie dévorés depuis longtemps, elle commençait à ressentir les premiers tiraillements de la faim. Elle pourlécha ses trois bébés aveugles avec soin et, comme ils se bousculaient, se disputant la meilleure position pour téter encore, elle les repoussa du bout de son museau et quitta la tanière en soupirant.

Comme toujours, elle fit une pause avant de sortir, émergeant de son tunnel lentement, prudemment, humant l'air alentour. Il soufflait du nord-est une bonne brise qui n'apportait ni odeur ni bruit inquiétants ; alors elle se hissa au-dehors. Debout sur ses pattes de derrière, elle fit un tour d'horizon, attentive surtout à d'éventuels dangers qui auraient pu se trouver sous le vent et lui auraient donc échappé. Mais dans cette direction aussi tout semblait calme et, sans plus attendre, elle se remit à quatre pattes et partit vers le sud-ouest de son trottinement chaloupé.

Elle n'avait guère fait plus de trente mètres lorsqu'elle s'arrêta net, pointa son nez en l'air et se mit à renifler. Immédiatement, elle reconnut cette odeur bizarre et séduisante qu'elle avait détectée l'autre jour au retour de la chasse. Sans hésiter, elle obliqua et remonta dans le vent, en direction de son terrier, car c'est par là que se trouvait la source de cet effluve inédit. À vingt mètres environ de chez elle, l'odeur devint si puissante qu'elle s'arrêta. Droit devant elle, malgré le camouflage, elle vit que quelque chose avait été enterré, quelque chose qui sentait terriblement bon.

Pourtant, sa prudence naturelle la rendait soupçonneuse et elle se mit à en faire le tour, ignorant la grosse dalle rocheuse gainée de mousse qui se trouvait tout près, toute son attention concentrée sur l'endroit du sol d'où émanait l'odeur nouvelle. Elle décrivait des cercles de plus en plus rapprochés, sa méfiance s'atténuant, mais pas au point de disparaître. Elle s'arrêta enfin. L'odeur était si alléchante qu'elle en gémissait d'excitation. Elle tendit la patte droite, précautionneusement, et gratta la surface du sol, ramenant des touffes d'herbe sèche. Elle risqua sa patte à nouveau, enfonçant cette fois ses griffes un peu plus avant dans la terre meuble, et saisit un objet mince et mou, d'une douzaine de centimètres, enduit de terre. Elle le huma, le lécha prudemment, puis le happa et l'avala tout rond. Le parfum de l'huile, lourd et entêtant, l'excitait prodigieusement. C'était du poisson, mais d'une espèce qu'elle n'avait jamais goûtée auparavant. Sa méfiance quelque peu émoussée par cette découverte savoureuse, elle tendit de nouveau la patte.

Ses longues griffes s'enfoncèrent. À travers la terre molle, elle devina d'autres poissons, mais en même temps elle sentit que le sol cédait imperceptiblement sous le poids léger de sa patte.

Instantanément, instinctivement, elle se jeta en arrière. Ses réflexes étaient incroyablement vifs et pourtant, cette fois, pas tout à fait assez rapides. Dans la même fraction de seconde, les mâchoires d'acier jaillirent du sol et happèrent les deux doigts extérieurs de sa patte droite. L'os de son dernier doigt se brisa sous le choc, mais l'autre tint bon. Les mâchoires du piège avaient immobilisé ces deux doigts fermement, presque au niveau de la patte, causant à la bête une douleur atroce.

Grondant, rageant, hurlant, elle eut beau tirer, tordre et se débattre, les mâchoires d'acier ne voulaient pas céder. Elle s'attaqua au piège à coups de dents, à la chaîne qui y était fixée, au fil de fer rigide qui liait la chaîne à la dalle moussue, à la dalle même, mais rien n'y fit.

Elle ressentit alors une souffrance et une angoisse inimaginables. Opiniâtrement, elle reprenait sa bataille contre le piège jusqu'à s'effondrer d'épuisement, hors d'haleine, la respiration sifflante. Tout en reprenant son souffle, elle léchait alors sa patte prisonnière, essayant en vain d'atténuer la douleur lancinante qui déchirait ses doigts affreusement enflés. Ils faisaient maintenant le double de leur taille normale, et il était de plus en plus improbable qu'elle pût réussir à les tirer de l'étau qui les retenait. Pendant toute cette nuit-là, et le jour et l'autre nuit qui suivirent, elle alterna ainsi les périodes de lutte et de repos. À l'aube du second matin, elle n'avait réussi qu'à traîner la dalle rocheuse sur une quinzaine de mètres en direction de l'entrée de son terrier.

Ce fut alors pour elle le début d'une angoisse encore plus terrible car, maintenant, elle entendait faiblement les piaulements de ses petits affamés au fond du tunnel. Tous les nourrissons ont absolument besoin de tétées régulières et fréquentes, et les bébés blaireaux ne font pas exception. S'ils sont privés pendant trop longtemps du lait de leur mère, ils s'affaiblissent rapidement. Au bout d'un jour et deux nuits de jeûne, les siens souffraient cruellement et de même que leurs cris lui parvenaient, de même ils entendaient les gémissements et les grognements de leur mère qui continuait à lutter pour se libérer. Et, reconnaissant sa voix, ils s'égosillaient d'autant plus fort et s'agitaient, aveugles et impuissants au fond de la tanière, incapables de comprendre pourquoi elle n'arrivait pas, incapables encore d'aller la rejoindre.

Toute cette journée-là, elle se débattit dans le piège,

les cris de ses petits lui inspirant le courage du désespoir. Peu à peu, douloureusement, elle réussit encore à traîner la dalle en direction du terrier de sorte que, à la tombée de la nuit, elle n'en était plus qu'à trois ou quatre mètres. Mais elle ne pourrait aller plus loin car la roche, maintenant coincée dans les hautes herbes, ne bougerait plus. Et bien que, à bout de forces, elle continuât à lutter pendant toute la troisième nuit de ce calvaire, elle ne put avancer d'un pouce.

À plus de trente kilomètres de là, dans un saloon de Winnipeg, assis à une table de poker, George Burton tentait de faire fructifier la somme qu'il avait reçue contre la peau du père des petits blaireaux. Mais jusque-là, au lieu de gagner de l'argent, il avait beaucoup de mal à n'en point perdre. Et si la pensée du piège où la mère des petits était en train d'épuiser ses forces lui traversait parfois l'esprit, il n'en laissait assurément rien paraître. Comme à son habitude, il irait relever ses pièges lorsque l'envie l'en prendrait.

Au lever du soleil, le troisième matin de sa captivité, la mère blaireau constata que les cris de ses petits étaient moins fréquents et considérablement plus faibles qu'auparavant. Au milieu de l'après-midi, elle ne les percevait plus qu'au bout de longs intervalles, et à la tombée de la nuit il n'y eut plus que le silence. Pendant cette quatrième nuit dans les mâchoires du piège, elle se débattit à peine. Les forces lui manquaient et la soif avait fait gonfler sa langue. Au matin, peu après l'aube, elle entendit encore un de ses petits pousser un bref cri affaibli. Cela déclencha en elle un dernier grand sursaut d'énergie. Elle était à ce moment-là couchée derrière la dalle rocheuse, qui la séparait de son terrier. Elle bondit alors par-dessus le rocher et se jeta vers l'ouverture en y mettant ses dernières forces. Déroulée en une seconde, la chaîne se tendit à rompre et la stoppa net. Ce choc terrible la projeta sur le dos avec une violence qui vida ses poumons et lui coupa le souffle. Et l'os de son deuxième doigt se brisa net. Seuls un peu de tissu musculaire, quelques tendons et de la peau meurtris et distendus la retenaient encore prisonnière. En se redressant, elle sentit aussitôt que le piège battait au bout de sa patte, et se mit à lécher ses doigts brisés mais toujours prisonniers.

Alors, elle commença à ronger sa propre chair, l'arrachant à petits coups de dents, ses efforts ponctués de grognements et de gémissements. Cela lui prit du temps, et le soleil était à son zénith lorsque le dernier tendon blanc céda enfin. Elle était libre.

Ignorant la douleur qui continuait à irradier sa patte, elle se hâta vers le terrier et s'engouffra dans le tunnel en glapissant pour s'annoncer. Mais ses petits ne répondaient pas. Ils étaient étendus sur le sol de la tanière lorsqu'elle y entra. Le premier qu'elle flaira était froid et déjà rigide. Le deuxième, un petit mâle, était souple, encore chaud, et réagit un peu quand elle le poussa du bout de son museau. Le troisième était mort.

Elle reporta toute son attention sur le petit mâle et le pourlécha en jacassant à mi-voix. Puis elle s'allongea sur le flanc, lui présentant ses mamelles enflées et douloureuses, mais il était si faible qu'il n'arrivait pas à soulever sa tête plus d'une ou deux secondes à la fois. Gémissant encore, elle s'arrangea pour lui presser un téton sur le museau. Il fit une ou deux tentatives pour téter, mais il n'arrivait pas à serrer le téton assez fort, n'avait même pas la force de téter. À la nuit tombée, lui aussi était mort.

Allongée près des petits corps, elle continua quelque temps à les flairer, à les humer, à les solliciter de son museau, mais au bout d'une heure elle abandonna et se leva. Se dirigeant vers le tunnel de secours, elle en attaqua le plafond de sa patte valide jusqu'à ce qu'il s'écroule, fermant ainsi cette sortie. Puis, s'engageant à reculons dans l'entrée principale, elle bloqua l'accès à la tanière de la même façon. C'était de sa part une opération instinctive, mécanique. Il lui était fréquemment arrivé de faire la même chose en abandonnant une tanière temporaire. À l'occasion, en hiver, elle condamnait ainsi une des deux entrées pour profiter de la chaleur supplémentaire assurée par l'élimination des courants d'air.

En quittant la tanière, elle se dirigea plein sud, avec l'intention évidente de partir loin de ce lieu de malheur. Mais la douleur lancinante qui la faisait boiter ne faisait qu'augmenter avec la distance et il lui fut bientôt quasi impossible de poser sa patte mutilée par terre. De sorte qu'au bout d'une demi-douzaine de kilomètres elle commença à chercher un endroit où se mettre à l'abri. Il était hors de question qu'elle tente de creuser un terrier temporaire. La seule solution consistait à chercher l'une de ses anciennes tanières pour s'y terrer en attendant que ses forces reviennent et que sa blessure guérisse.

Elle leva la tête au-dessus des herbes et jeta un regard circulaire. Il y avait, pas trop loin devant, un affleurement de rochers qui lui était familier, et un alignement de collines, dont Hawk's Hill, qu'on apercevait vaguement dans l'est, au clair de lune. Le point ainsi fait, elle prit une direction légèrement au sud-ouest, et au bout d'environ huit cents mètres elle trouva ce qu'elle cherchait : un ancien terrier qu'elle avait creusé plus d'un an auparavant, près d'un autre empilement de rochers. C'était un grand terrier, plus grand même que la tanière qu'elle avait aménagée pour accoucher et qu'elle venait de quitter. Cependant, le système de tunnels en était moins complexe. L'entrée, assez bien cachée par les herbes hautes, se trouvait à côté d'une dalle en forme de cuvette sur laquelle, à l'époque où elle habitait là, il lui était arrivé de faire la sieste au soleil. Le tunnel descendait obliquement sur plus de deux mètres, avant de revenir à l'horizontale sur environ trois mètres pour mener à la tanière proprement dite, laquelle était beaucoup plus vaste que celle où venait de mourir sa dernière portée. Ces dimensions étaient d'ailleurs dues au hasard : délibérément ou non, elle avait creusé directement vers le tas de rochers et s'était retrouvée dans une poche d'air naturelle, sans doute le résultat d'un affaissement qui avait dressé deux blocs l'un contre l'autre, quelques siècles plus tôt. La cavité ainsi ménagée au-dessous avait la forme d'un cône, dont le diamètre à la base faisait deux mètres et demi, et la hauteur environ deux mètres. Le clair de lune s'y infiltrait à travers plusieurs interstices dans les rochers disjoints du plafond, mais aucun trou important ne compromettait la sécurité du refuge.

À moins de deux pieds du seuil d'accès, le tunnel de secours partait à l'horizontale. Elle le suivit sur toute sa longueur, environ six mètres, avant qu'il ne remonte à la surface abruptement. Elle risqua sa tête dans l'ouverture : la lune venait de se cacher derrière un banc de nuages bas et lourds. Une odeur d'orage flottait dans l'air, et les hautes herbes semblaient frissonner et chuchoter entre elles, vaguement agitées.

Comme celles de l'entrée principale, elles avaient poussé jusqu'au bord de l'orifice, offrant ainsi un camouflage parfait. Plutôt que de risquer de les écraser en faisant demi-tour, elle repartit à reculons dans le tunnel vers la vaste chambre centrale.

Assurée de se trouver en sécurité pour l'instant, elle s'allongea et se mit à lécher sa patte mutilée. C'était une gymnastique éprouvante, car la blessure se trouvait sur le bord externe : elle devait tordre le cou vers le bas et la patte vers le haut pour atteindre ses doigts coupés. Les crampes devinrent rapidement insupportables et elle cessa bientôt ses efforts.

Elle avait étanché sa soif en chemin, dans un trou d'eau, mais la faim la tenaillait. Pourtant, elle ressentait un besoin plus pressant encore, celui de dormir, de récupérer après ces deux journées et ces trois nuits à épuiser ses forces contre le piège d'acier. Elle se lova donc sur le flanc, le nez enfoui sous la queue ; les longs poils de sa fourrure rebroussée lui donnaient, dans cette position, l'air d'un gros pouf velu.

Elle s'endormit profondément, et sa respiration un peu sifflante se fit calme et régulière. Il semblait incroyable qu'en si peu de temps elle ait perdu son compagnon, ses petits, sa tanière, et même une partie de sa patte avant droite. Elle souffrait toujours énormément et, de plus, ses glandes mammaires, gorgées de lait maintenant inutile, étaient très douloureuses. Mais elle survivrait. Car au milieu de la nature sauvage, l'instinct de survie est d'une force prodigieuse.

7

Benjamin MacDonald n'avait aucune intention de s'enfuir. L'eût-il voulu, d'ailleurs, qu'il n'aurait su où aller. Winnipeg n'était guère qu'à trente kilomètres de la ferme, mais il n'était encore jamais allé à la ville. North Corners était sa plus lointaine aventure : on s'y rendait en chariot et en famille pour l'office du dimanche, en empruntant la piste pleine d'ornières et sans surprises. Seul, il n'avait jamais dépassé les bords de la rivière Rouge, un kilomètre à l'est de

Hawk's Hill – escapade pour laquelle on l'avait grondé, lui faisant promettre de ne pas recommencer. Il avait exploré les alentours de la ferme dans un rayon d'environ deux kilomètres au nord, au sud et à l'ouest. Ce jour-là, cependant, il se risqua bien plus loin, même si au départ ce n'était pas prémédité.

Le jour, gris, s'était levé comme à regret. De lourds nuages avaient envahi le ciel après minuit et, loin dans l'ouest, on entendait le grondement assourdi du tonnerre. John, Coral et Beth étaient partis à l'aube pour leur dernier jour d'école ; le père était à l'écurie, en train de réparer des harnais ; la mère, à la cuisine, pétrissait de la pâte à pain ; aussi Ben se retrouva-t-il seul, ce qui ne lui avait jamais posé de problème.

Depuis le soir où George Burton avait apporté le blaireau mort, l'atmosphère familiale avait changé. Ben voyait bien que tous à la maison, et en particulier son père, faisaient des efforts pour s'occuper de lui et le faire participer à leurs activités. Même Beth avait cessé de lui donner des ordres et se montrait plus gentille avec lui. Ben n'en revenait pas.

Pour un enfant qu'on avait jusque-là bien souvent ignoré, voire traité sans le moindre égard, cette attention soudaine était grisante. Il était assez fin pour se rendre compte qu'il s'agissait d'efforts conscients et concertés, mais cela lui faisait quand même grand plaisir. C'est son père qui avait le plus changé. Il ne manquait pas une occasion de s'arrêter pour parler avec le petit, lui ébouriffant les cheveux, s'accroupissant près de lui pour lui donner des explications ; il l'avait même plusieurs fois soulevé et porté dans ses bras. William MacDonald semblait incapable d'oublier le soir où il avait giflé le gamin : il ne cessait d'y penser, ce qui n'était pas le cas de Ben. Deux fois encore depuis ses excuses dans l'écurie, il avait demandé pardon à son fils.

Ben, quant à lui, s'ouvrait un peu. Il était loin d'attacher autant d'importance à la gifle de son père que celui-ci, car il pensait sincèrement l'avoir méritée : ne s'était-il pas rendu coupable d'une faute grave en se jetant furieusement sur lui pour le frapper ? Il désirait donc, autant que son père, être pardonné mais, contrairement à lui, il était incapable de formuler ses regrets. Alors, faute de mots, il tâchait de se faire pardonner par des gestes, des sourires, une attention plus soutenue lorsqu'on lui parlait. Il répondait même aux questions, mais toujours aussi brièvement, et ne cachait pas le plaisir qu'il prenait à l'intérêt nouveau dont il était l'objet.

Il n'y avait donc absolument aucune raison pour que Ben fasse une fugue. D'ailleurs on ne peut dire aujourd'hui qu'il s'était enfui, mais plutôt qu'il s'était perdu. Peu après le petit déjeuner, il avait regardé Beth, Coral et John partir, débarbouillés de frais et endimanchés pour ce dernier jour de classe, John sur son propre cheval, Beth et Coral en partageant un second. Ils s'étaient retournés tous les trois et, avec de grands signes, lui avaient crié : « Bye bye, Ben ! » Et il leur avait répondu de la main. Après leur départ, il joua un moment sur le tas de terre fraîche à côté du nouveau puits que son père et John avaient commencé à creuser. Mais il se lassait vite de ces jeux où l'on fait semblant. Il préférait l'observation et la découverte. C'est pourquoi il suivit la clôture du corral jusqu'au bout, là où elle faisait un angle droit, à quelque cinquante mètres au sud de la maison. Et c'est à cet endroit qu'il leva la grosse poule sauvage.

L'oiseau jaillit des hautes herbes au pied du poteau d'angle et s'enfuit à grand bruit dans la pente de la colline, boitant et laissant traîner une aile, avec un caquètement de panique. Ben comprit aussitôt qu'elle cherchait à l'attirer loin de son nid, se dit qu'il y reviendrait plus tard, et se lança derrière elle. Totalement concentré, la main droite sous l'aisselle droite, le bras gauche déplié, inerte, il suivait la poule, penché en avant, caquetant comme elle et mimant chacun de ses gestes, jusqu'au balancement mécanique de sa tête.

Elle continuait à fuir, le précédant de trois ou quatre mètres, ses battements d'ailes et ses caquètements se faisant plus rares à mesure qu'ils s'éloignaient du nid, mais sans ralentir et droit devant elle. Ils arrivèrent au bas de la colline et commencèrent à grimper la suivante. La poule sauvage avait retrouvé l'usage de son aile et ne caquetait plus. Une ou deux fois, elle s'envola sur une dizaine de mètres, gagnant ainsi du terrain, tandis que Ben, battant des deux bras, sautait en l'air comme s'il pensait vraiment qu'il finirait par décoller lui aussi.

Et puis, à mi-chemin de la deuxième descente, dans un puissant ronflement d'ailes, elle s'envola au ras des herbes et disparut derrière la colline suivante. Ben lui donna la chasse, imitant avec ses lèvres le vrombissement des ailes lancées à plein régime, courut jusqu'à l'endroit où elle avait disparu, tout en sachant bien qu'elle n'y serait plus, et s'arrêta là, pantelant.

« Eh, va donc, poulette ! » s'écria-t-il dans le vide, puis il pouffa silencieusement. Car s'il parlait rarement aux gens, il avait été encore plus surpris de s'entendre parler tout seul. Comme s'il venait de découvrir une nouvelle possibilité, il fit un cornet de ses mains et cria à nouveau : « Eh, va donc, poulette ! Retournes-y à ton nid ! Si tu crois que tu m'as eu... ! »

L'immensité de la Prairie étouffa ses cris, qui n'eurent pour écho qu'un lointain roulement de tonnerre. Il leva les yeux. Le ciel ne semblait ni plus gris ni plus bas qu'il ne l'était depuis le matin. Ben n'avait pas encore envie de rentrer, aussi continua-t-il droit devant lui. Il monta et redescendit plusieurs autres buttes puis, au loin, il aperçut un faucon pèlerin qui croisait sa route à bonne allure et s'arrêta pour l'observer. Arrivé au-dessus d'un étang bordé de roseaux, le rapace le survola d'une seule boucle, puis reprit sa direction première à tire-d'aile. Ben poussa un grognement déçu : il aurait bien aimé voir l'oiseau de plus près. À son tour, il se dirigea vers cet étang qu'il ne connaissait pas.

Sur la rive, les grands roseaux étaient trop denses pour qu'il pût se frayer un chemin jusqu'au bord de l'eau, mais il aperçut quand même, entre les hautes tiges, une tortue multicolore qui pointa son nez à la surface puis replongea aussitôt. Un martin-pêcheur, venu de nulle part, plana au-dessus de l'eau un instant, plongea et réapparut peu après, le bec vide. Comme vexé d'avoir été si maladroit, il émit un cri éraillé et strident, puis décolla soudain, d'un vol brouillon qui l'emporta par-dessus les roseaux.

Ben reprit son chemin. Deux collines plus loin, il stoppa pour contempler un petit chardonneret ravissant, posé en équilibre sur un long brin d'herbe, balançoire improvisée dans la brise qui fraîchissait, ses ailes noires repliées et sa queue, noire aussi, mettant élégamment en valeur le jaune éclatant du reste de son plumage. Il avait même une petite tache noire assortie sur le haut de la tête.

Un peu plus loin encore, Ben se mit à courir dans tous les sens, bondissant de-ci, de-là, comme il tentait de suivre le vol capricieux et imprévisible d'un papillon frivole. Soudain, dans la brise qui s'était levée, une bourrasque inattendue emporta le papillon qui disparut en tourbillonnant.

À nouveau, Ben regarda le ciel. Les nuages s'assombrissaient et le tonnerre se rapprochait. Fronçant les sourcils, Ben se demanda pourquoi il n'avait pas remarqué tout cela plus tôt. Il avait dû laisser passer l'heure du déjeuner. Il était grand temps de reprendre le chemin de la maison.

Il repartit d'un bon pas dans la direction qu'il pensait être la bonne, se sentant vaguement coupable : jamais il n'était allé aussi loin. Une heure plus tard, il marchait toujours, mais d'un pas moins vif et avec, dans un coin de sa tête, une incertitude grandissante. Le soleil n'était pas apparu depuis le matin et Ben se rendit soudain compte qu'il n'avait aucun moyen de savoir dans quelle direction il allait. Autour de lui les hautes herbes ondoyaient à l'infini sur des collines basses qui se ressemblaient toutes. Il n'y avait trace nulle part des bâtiments familiers qui couronnaient Hawk's Hill. Au loin, il apercevait ici et là des étangs ou des mares, mais il ne les reconnaissait pas. Les affleurements épars de rochers gris lui étaient tout aussi étrangers.

Une autre heure s'écoula, puis deux. L'après-midi devait tirer à sa fin et il marchait toujours sans aucun repère connu. Il eut, pendant un instant de panique, l'impression d'avoir, comme la petite fille dont sa mère lui avait lu l'histoire, franchi la porte d'un autre monde. Les nuages bas et tourbillonnants semblaient lancés à sa poursuite, le vent empoignait sa chemise, tordait ses cheveux. Un tas de rochers se dressa à deux ou trois cents mètres devant lui et il dévala la pente dans cette direction, espérant y trouver refuge avant que la pluie ne s'abatte. Il tomba, se releva avec une chaussure en moins, et se remit à courir. Son autre chaussure lui faussa compagnie deux minutes plus tard mais il ne s'arrêta pas. Il atteignit les rochers en même temps que les premières grosses gouttes de l'orage, hors d'haleine et boitant des deux pieds dans ses chaussettes tire-bouchonnées.

L'empilement de rochers, à sa grande déception, se révéla beaucoup plus petit qu'il n'avait semblé à distance. Il n'offrait ni surplomb ni creux où se blottir pour attendre à l'abri la fin de l'orage. Ben avait peur maintenant, il était aveuglé par des larmes d'impuissance autant que par les aiguilles de pluie qui lui fouettaient le visage. Il n'y voyait plus qu'à quelques mètres dans les trombes d'eau qui arrivaient sur lui. Alors, ne sachant que faire, il tourna le dos à la pluie et se mit à courir comme s'il avait pu la battre de vitesse.

Mais au bout de quelques mètres, un de ses pieds se déroba sous lui et il s'étala de tout son long dans l'herbe trempée en poussant un cri. Il se redressa aussitôt et, assis par terre, se mit à pleurer pour de bon, en serrant sa jambe repliée contre lui. Son pantalon s'était déchiré, et son genou saignait. Baissant les yeux, il vit le caillou qui l'avait blessé et, à côté, le large trou qui l'avait fait chuter.

À cette seconde, la pluie redoubla de violence, le trempant de la tête aux pieds en un instant, noyant le mince espoir qui lui restait d'y échapper. Alors, sans vraiment réfléchir, il glissa ses deux jambes dans le trou et s'y enfonça. Il avait beau être menu, cela n'alla pas sans peine : ses épaules ne passaient pas, et il dut ressortir jusqu'à la ceinture pour agrandir le passage à mains nues. Dans sa hâte il se retournait les ongles et pleurait de plus belle, mais ses sanglots se perdaient dans les rafales de pluie.

Il parvint finalement à progresser, toujours les pieds devant, et s'aperçut qu'en dessous, le boyau était un peu plus large. Ses épaules frottaient contre les parois, et il lui fallait garder les bras tendus au-dessus de sa tête, mais il n'était plus coincé. Il continua ainsi jusqu'à ce que sa tête et ses bras soient hors d'atteinte de la pluie battante. Alors, le menton dégoulinant de larmes mêlées de pluie, il abandonna tout effort et resta là, immobile, à plat ventre dans les rigoles qui s'infiltraient jusque dans son pantalon.

La pluie continua jusqu'au soir. Parfois elle se calmait au point qu'il était prêt à ressortir, mais c'est à ce moment-là qu'elle redoublait d'intensité, déchaînée, diluvienne. S'il avait su retrouver son chemin, il aurait affronté l'orage, mais il ne savait même pas quelle direction prendre. Il ne s'était jamais senti si petit, si seul, si perdu.

Le jour s'assombrit encore à l'approche de la nuit. Le sol vibrait toujours à chaque roulement du tonnerre. Soudain, dans un éclair déchirant, la foudre tomba si près, avec un vacarme si épouvantable qu'il fut anéanti de frayeur et urina sous lui. L'odeur âcre de l'ozone envahit l'atmosphère et il enfouit son visage dans la terre détrempée tandis qu'une nouvelle cascade de sanglots le secouait. Mais ce coup de tonnerre sembla mettre une fin, du moins provisoire, à la violence de l'orage. La pluie décrut sensiblement sans pour autant s'arrêter, tandis qu'au loin le tonnerre continuait à gronder presque sans s'interrompre.

Il faisait nuit depuis à peu près une heure et Ben était dans un état de demi-sommeil lorsqu'il redressa brusquement la tête. Un bruit nouveau approchait au-dehors, un bizarre mélange de grognements et de soupirs asthmatiques. Dans l'obscurité du boyau, l'entrée faisait une tache vaguement plus claire et ce pâle reflet fut soudain effacé par une masse opaque qui pénétrait dans son refuge. Totalement vulnérable, terrifié, Ben fut incapable, dans ces premières secondes, d'imaginer ce que cela pouvait bien être.

La grosse mère blaireau, qui boitait toujours de sa patte blessée, avait quitté sa nouvelle tanière depuis le matin. La faim l'avait poussée à partir chasser et, puisque sa blessure ne lui permettait pas d'utiliser sa technique habituelle, elle s'était rabattue sur les étangs et les mares, les grenouilles et les rainettes ; elle avait même avalé un caneton, le petit dernier d'une récente couvée de colverts. Malgré l'orage et la pluie, elle avait continué à chasser jusqu'à ce que, sa faim plus ou moins apaisée, elle retourne à sa tanière sous les rochers pour se reposer. Et ce n'est qu'une fois engagée dans le tunnel qu'elle avait senti la présence du garçon. Dans cet espace confiné, le grondement qu'elle émit alors était proprement terrifiant.

Ben se mit à hurler : « Va-t'en ! Va-t'en ! » Agrippant une poignée de terre boueuse, il tenta de la lui jeter, mais sans grand succès.

Le grondement se fit alors plus profond, plus âpre, et au lieu de battre en retraite, la bête avança. Ils étaient face à face, tout près l'un de l'autre maintenant, et Ben se remit à crier. La tête de la bête était presque au ras de sa main, et il se hissa vers elle avec l'intention de lui griffer les yeux, tout en se mettant à gronder à son tour. Ce n'était sans doute pas aussi effrayant, mais c'était quand même une remarquable imitation de son grondement à elle.

Il lança la main vers son museau, et aussitôt elle envoya vers lui sa patte droite, oubliant qu'elle était blessée. Deux des trois griffes qui lui restaient effleurèrent la joue de l'enfant. C'est lui qui eut la plus grande peur, mais c'est elle qui souffrit le plus. La douleur ravivée la fit glapir et elle recula sensiblement.

La pluie avait repris et tambourinait sans discontinuer. La position de la bête était inconfortable : la tête en bas, et l'arrière-train offert à l'averse. Elle cessa de gronder pour émettre un jacassement à voix basse qui, bien que différent de ceux que Ben avait entendus, le renseigna pourtant sur la nature de l'intrus : il s'agissait donc d'un blaireau !

Ravalant ses larmes, un peu rassuré par le recul de la bête, Ben lui répondit ; d'abord en imitant le jacassement qu'il venait d'entendre, puis en reproduisant celui qu'il avait appris lors de leur précédente rencontre. Il ne pensait pas, bien sûr, qu'il pût s'agir du même blaireau, mais il espérait que cela calmerait l'animal et l'empêcherait d'attaquer. Il recommença et, à son grand soulagement, l'autre recula et finit par sortir complètement. Une bouffée d'air frais et humide lui arriva au visage, suivie par une nouvelle rigole cascadant le long du boyau.

L'enfant resta longtemps à guetter l'entrée du terrier,

lucarne grise dans le noir, mais l'ombre massive ne devait pas réapparaître. Le blaireau était parti. Alors, trempé, engourdi de froid, moulu de crampes, exténué, Benjamin MacDonald finit par s'endormir.

8

Ben avait passé une bien mauvaise nuit. Malgré son épuisement, il n'avait dormi que par intermittence. Il n'avait cessé de se réveiller en sursaut, redoutant toujours de voir l'ombre massive du blaireau bloquer l'entrée du terrier. Une fois, il crut même entendre quelqu'un crier son nom, mais il eut beau tendre l'oreille ensuite, il ne perçut plus que les bourrasques de la pluie et les roulements du tonnerre.

Vers le milieu de la nuit, la bête était revenue. Elle était entrée dans le boyau jusqu'à mi-corps, de sorte que son museau et ses pattes de devant ne se trouvaient guère qu'à une trentaine de centimètres du garçon ; et c'est sa respiration sifflante, accompagnée d'un gémissement bizarre, qui l'avait réveillé. Mais cette fois, l'enfant eut beaucoup moins peur. Il était plus en colère que vraiment effrayé.

« Va-t'en ! Laisse-moi tranquille ! dit-il à pleine voix. Qu'est-ce que tu veux, d'abord ? Je t'ai pris ton trou ? Tant pis pour toi. Je suis bien, là. Va-t'en, tu m'entends ? Ouste ! »

La mère blaireau se contenta de pencher la tête sur le côté en poussant une espèce de soupir. Et même lorsque Ben ramassa une autre poignée de terre boueuse pour la lui jeter, elle eut à peine un mouvement de recul et un grognement étouffé. Ben, immédiatement, reprit son grognement en écho, puis se mit à jacasser du fond de la gorge en imitant toutes les façons qu'il avait apprises lors de leur première rencontre. Un instant, elle sembla vouloir s'approcher, puis finalement elle partit à reculons et disparut à nouveau.

La pluie tombait assez régulièrement, le tonnerre et les éclairs avaient cessé. Bientôt la rigole se remit à couler par l'ouverture et Ben se pencha pour laper un peu d'eau ; mais elle était si pleine de boue qu'il eut un haut-le-cœur à la première gorgée. Alors il se tourna sur le côté et réussit à plier un bras pour y poser sa tête. Au bout d'un moment, il se rendormit. Dans la nuit qui n'en finissait pas, son sommeil agité était entrecoupé de cris :

il appelait sa mère et gémissait ; une fois même, un rêve où il criait : « Va-t'en ! » le réveilla, mais le blaireau n'était pas là.

Peu avant l'aube, il sombra enfin dans un sommeil profond, et ce n'est qu'après le lever du soleil qu'il se réveilla à nouveau. La pluie avait cessé et, à travers l'ovale du trou, il aperçut le bleu du ciel, traversé de temps en temps par un petit nuage floconneux.

Il tenta de bouger et un gémissement lui échappa ; depuis si longtemps dans la même position, tout son corps était ankylosé et courbatu. Il regarda ses mains, si incrustées de boue qu'il n'en voyait plus la peau, bâilla et sentit que son visage devait être dans le même état. Le souvenir des événements de la nuit lui revint et il frissonna. Est-ce que tout cela avait été un rêve ? Aurait-il imaginé ce blaireau qui avait tenté de le déloger de son refuge ? Il était apparu si réel, et pourtant il n'y avait plus aucun signe de l'animal.

Il se rendit compte soudain qu'il avait très faim et très soif. De la terre crissait sous ses dents et il avait un goût de boue dans la bouche. Il cracha à plusieurs reprises sans arriver à s'en débarrasser. Au bout de quelques minutes, il se mit à ramper vers la sortie du tunnel. Le fait d'être sans chaussures représentait maintenant un avantage : en pliant un peu les jambes et en plantant ses orteils dans la terre meuble, il arrivait à prendre appui derrière lui ; en faisant la même chose avec ses mains devant lui, il finit par se hisser lentement vers la surface. L'éclat du soleil matinal lui fit plisser les yeux lorsqu'il émergea du terrier, appuyé sur ses coudes. La large dalle en forme de cuvette qui se trouvait près de l'entrée s'était remplie d'eau de pluie – il y en avait bien cinq litres – une eau claire et engageante sous les rayons obliques du soleil. Il y posa ses lèvres et but à même la surface, avidement, goulûment, avec des gargouillis et des hoquets de plaisir. Il releva la tête pour reprendre son souffle, rota sans façons et se remit à boire. La boue collée à son visage troublait l'eau.

Sur le point de plonger aussi ses mains dans l'eau pour les laver, il se ravisa : non, il valait mieux garder cette eau-là, s'il avait encore soif avant de partir. Il se sentit tout fier d'avoir pensé à être si prévoyant. Il se hissa alors complètement hors du trou et fit à nouveau la moue en voyant l'état de ses vêtements : chaussures envolées, chaussettes à moitié enlevées, pantalon déchiré, le tout saturé d'eau et imprégné de boue. Son genou, écorché sous la déchirure du pantalon, était enduit de terre. Il y mit le bout du doigt avec précaution, en faisant la grimace.

Il ôta complètement ses chaussettes, les essora à deux mains, puis les mit dans sa poche. Dans l'herbe autour de lui, des gouttes d'eau luisaient comme autant de diamants dans le soleil. Alors, se redressant, il marcha d'un pas raide vers un fourré d'herbes hautes. En le traversant, les jambes de son pantalon et ses pieds nus furent débarrassés de la plus grosse couche de boue qui les couvrait. Il se mit à courir, puis s'arrêta. Il était à nouveau trempé, mais beaucoup moins crotté. Il se mit à genoux et avança dans les herbes saturées d'eau en ramant des deux bras : il était ravi de voir la boue de sa chemise se dissoudre au fur et à mesure. Lorsqu'il eut les mains propres, il se débarbouilla le visage ; la boue lui fondait dans les mains. Il s'arrêta lorsqu'il se sentit propre, ce qui était en fait très relatif car, s'il avait les yeux, le nez, la bouche et les joues à peu près nets, il lui restait autour de la figure une frange de crasse assez épaisse, de sorte qu'il ressemblait à un singe au visage nu encadré d'une toison douteuse.

Son pantalon qui bâillait au genou le gênait, alors il arracha la moitié déchirée qui pendait. Il se sentit mieux et voulut se débarrasser de l'autre jambe par souci de symétrie. Mais il n'avait rien pour entamer le tissu et ne réussit pas à le déchirer à mains nues ; il en resta là. Puis il tenta sans plus de succès de peigner ses cheveux plâtrés de boue avec ses doigts. Il ne réussit guère qu'à se débarrasser des plus gros grumeaux et n'insista pas.

Il avait soif à nouveau et se félicita de ne pas avoir pollué trop gravement l'eau de la vasque naturelle. Il y retourna et but encore à longs traits. Puis il s'assit par terre tout près et, pour la première fois depuis son réveil, il essaya de faire le point. Il n'avait toujours aucune idée de l'endroit où il se trouvait. Dans toutes les directions, la Prairie déroulait ses étendues d'herbes hautes, ses collines toutes semblables où les étangs épars et les affleurements de rochers lui paraissaient presque tous identiques. Il tenta de se rappeler par où il était arrivé pendant l'orage, mais sa course échevelée pour échapper à la pluie et les heures de vagabondage qui l'avaient précédée l'avaient complètement désorienté.

Il repensa au blaireau et ne fut pas loin de conclure qu'il avait tout simplement rêvé ses visites nocturnes. Et pourtant cela lui avait paru si réel ! Il avait encore dans l'oreille les grognements féroces de la bête sauvage et ses glapissements, sa respiration sifflante et ses gémissements. Avait-il vraiment pu rêver tout cela ? Et si ce n'était pas un rêve, alors où était-elle passée ? Pourquoi n'y avait-il pas trace de la bête ? Il balaya l'endroit des yeux et son regard revint se poser à l'entrée du terrier. Là ! Il y en avait. Avec un petit cri de surprise il se mit à quatre pattes. Ici, là, et là encore ! Entre les marques qu'avaient laissées ses mains et ses pieds, il distinguait les empreintes d'un animal, d'un gros animal. Elles faisaient presque dix centimètres de long ; on voyait bien les doigts au bout du pied, et l'entaille profonde que chaque griffe avait faite dans la boue. Alors, ça n'avait pas été un rêve ; un blaireau était bien venu la nuit dernière, peut-être même ce matin pendant qu'il dormait, car autrement ses traces auraient été effacées par la pluie de la nuit.

À nouveau il regarda tout autour du terrier, avec plus d'attention cette fois-ci, mais à part un vol de carouges disparaissant en désordre derrière la plus proche colline, les environs semblaient déserts. L'entassement de rochers, qui se trouvait à sa droite, barrait sa vue de ce côté-là, et il en fit le tour pour voir derrière. Au sol poussaient des églantines et il s'arrêta soudain pour cueillir quatre ou cinq boutons de ces roses sauvages, que leur forme dodue rendait appétissants. Il en mit un dans sa bouche, le mâcha, fit la grimace et fut sur le point de le recracher, mais la faim l'emporta et il l'avala. Un par un, il mangea les autres, bien que de toute évidence il ne les appréciât guère. Il revint au buisson d'églantines et en trouva deux autres, qu'il goba aussitôt. Mais tout cela était bien loin d'assouvir sa faim.

Soudain il entendit un bruit lointain difficile à identifier, qui semblait venir de l'autre côté des rochers. Il s'avança, prudemment à tout hasard, et risqua un œil. Une vague d'émotion le submergea : un cavalier, à moins de cinq cents mètres, arrivait de l'ouest. À cette distance, il n'aurait su dire qui c'était. Il eut envie de courir à la rencontre de l'homme en agitant les bras pour attirer son attention lorsque, au même instant, il aperçut le chien. C'était un grand corniaud d'un gris jaunâtre, et il n'en connaissait qu'un seul qui eût cette allure. Il regarda encore. Oui, Lobo, le chien de George Burton. Il ne distinguait toujours pas la figure du cavalier, mais au fur et à mesure qu'il approchait, Ben comprit que l'ombre qui le masquait n'était pas celle du chapeau, mais la barbe noire et dense qui lui mangeait le visage.

Aussitôt, instinctivement, il se mit à couvert. Sa haine du trappeur était telle qu'il en tremblait. L'homme se dirigeait droit vers lui et Ben, gagné par la méfiance et la peur, se mit à quatre pattes et se précipita vers l'entrée du terrier où, les pieds devant, il se glissa et disparut.

Il attendit longtemps sans entendre le moindre bruit.

Il en conclut que Burton avait dû obliquer dans une autre direction. Lentement, précautionneusement, il passa la tête hors du trou. Mais les herbes lui barraient la vue, alors, les deux mains à plat de chaque côté de l'ouverture, il se hissa un peu plus haut et se figea : Burton était à moins de cinquante mètres, toujours sur son cheval, de profil, la main en visière sur le front tandis qu'il observait les collines vertes, à l'est. Lobo se tenait devant lui, en alerte, le museau dressé, la tête légèrement tournée vers Ben, comme si pour une seconde quelque brise vagabonde lui avait apporté l'odeur du petit garçon, mais tout de suite il se remit au repos, attendant patiemment que son maître reprenne son chemin.

Ben replongea dans le trou, se frayant un passage jusqu'à ce que le boyau devienne trop étroit pour qu'il puisse continuer. Il resta là, paralysé, le cœur cognant si fort qu'il se demandait si le trappeur ou son chien ne finiraient pas par l'entendre. Pendant un bon quart d'heure il n'osa pas bouger puis, un peu calmé, il rampa de nouveau jusqu'à la surface pour jeter un coup d'œil.

Un soupir de soulagement lui échappa. Le cavalier et son cheval étaient maintenant loin dans le sud-est, déjà cachés par la crête d'une colline qu'ils venaient de franchir, le chien hors de vue. Ben, la tête au ras des herbes, attendit que la silhouette ait totalement disparu à l'horizon.

Si Ben avait songé à se lancer dans la Prairie à la recherche de sa maison, il y renonça catégoriquement, tant il était sûr que Burton l'attraperait dès qu'il serait à découvert. Il n'essayait même pas d'imaginer quels mauvais traitements le trappeur aurait pu lui faire subir : il avait simplement une peur panique du personnage et la certitude qu'il fallait éviter à tout prix que celui-ci le voie.

Bénissant sa provision d'eau de pluie, l'enfant se pencha à nouveau pour boire dans la vasque, puis il s'étendit dans l'herbe de tout son long. Le soleil était chaud et il se sentait bien. La mauvaise nuit qu'il avait passée n'avait pu effacer l'épuisement de la journée précédente ; il était éreinté et somnola quelques minutes. Il rêva que Burton était revenu et le contemplait du haut de son cheval, la bouche fendue par un sourire diabolique, sa barbe hirsute encadrant ses dents jaunies. Il se réveilla en sursaut, tout tremblant, et replongea immédiatement dans le terrier, les pieds devant, jusqu'à ce que sa tête soit à un demi-mètre au-dessous de l'ouverture. Perclus de fatigue, il ferma les yeux. Cette fois-ci, il s'endormit profondément, d'un sommeil sans rêves.

Il dormit quatre heures et, lorsqu'il se réveilla, la mère blaireau était revenue. Elle était en fait en train de descendre dans le trou, tenant entre ses dents une poule sauvage à moitié dévorée. Ben hurla et elle s'immobilisa, ouvrit sa bouche pour répondre par un grondement et, comme le corbeau de la fable, laissa tomber sa proie qui roula vers l'enfant. Il attrapa l'oiseau par une patte et le tira vers lui.

Le grondement de la mère blaireau s'éteignit pour faire place à un gémissement sourd, curieux. Ben émit le même son, en écho, en regardant attentivement la bête. Bizarrement, maintenant qu'il faisait jour, il n'avait plus aussi peur d'elle. Il regardait avec curiosité cette large tête rayée de blanc, ces yeux intelligents qui l'observaient de très près et où il ne lisait aucun signe de peur, aucune intention agressive. Il n'y avait dans ce regard qu'un reflet de sa propre curiosité. La bête semblait intriguée par ce minuscule être humain qui occupait son terrier.

Ben, à la lumière du jour, remarqua deux choses. La première était l'oreille droite du blaireau ; il sourit en voyant qu'elle portait une entaille profonde.

« Alors c'est bien toi, dit-il à voix basse. Je t'ai donné à manger, tu te rappelles, les bébés souris ? »

La bête, instinctivement, se remit à gronder faiblement au son de sa voix, tout en soufflant entre ses dents, mais elle penchait la tête de côté, comme intriguée par ces sonorités nouvelles. Elle s'approcha encore un peu et c'est alors que Ben remarqua aussi que sa patte avant droite était déformée par une enflure énorme et amputée de deux doigts. Il fronça les sourcils avec un grognement de sympathie.

« Tu t'es blessé la patte ? dit-il. Ça doit faire drôlement mal. Je me demande comment tu t'es fait ça. »

La grosse bête inclina de nouveau la tête, en jacassant à intervalles réguliers. Ben sourit, imita les sons qu'elle venait d'émettre, et son sourire s'agrandit lorsqu'il la vit pencher la tête de l'autre côté tout en le regardant. Il tendit alors la main pour la toucher, mais elle eut un mouvement de recul, sans toutefois quitter le terrier.

À part la poignée de boutons d'églantine qu'il avait mangée le matin, Ben avait l'estomac vide depuis le petit déjeuner du jour précédent. Il regarda les restes de l'oiseau qui avait roulé jusqu'à lui. Il n'y avait plus ni tête ni cou et la totalité des viscères avaient été dévorés, ainsi qu'une partie d'un des flancs de la poule. Tout cela n'était guère appétissant mais Ben avait trop faim. Il essaya de lui arracher une patte sans y arriver : il eut beau la tordre dans tous les sens, il ne parvint même pas à disloquer l'articulation. Avec un grognement d'exaspération, il réussit à décoller la peau de la poitrine dodue, encore couverte de plumes. Il porta la carcasse à sa bouche et planta ses dents dans la chair élastique. Non sans mal, il arriva à en arracher une petite bouchée. Il se mit à la mâcher, d'abord avec hésitation, mais fut bientôt surpris de trouver le goût de la chair crue plutôt agréable. Il attaqua alors l'oiseau avec plus de conviction, tirant des bouchées plus grosses qu'il sciait de ses incisives. Plus il en mangeait, plus il trouvait cela délicieux et se concentrait totalement sur ce repas inédit. Ce n'est qu'au bout d'un certain temps qu'il se rendit compte de la clarté nouvelle qui régnait dans le tunnel : la mère blaireau était repartie, sans qu'il s'en aperçoive.

Il continua à manger. Après avoir terminé le morceau de poitrine, il s'attaqua à une cuisse. Soudain il sursauta. Tout au fond du trou, sous lui, quelque chose de doux et d'humide venait de lui toucher le pied. Ses yeux s'agrandirent de peur. Puis cela recommença, mais cette fois il ressentit comme une caresse, toujours humide et velue. Le blaireau ! De toute évidence, il était entré par un autre tunnel, se trouvait maintenant derrière lui et lui léchait le pied.

Il se mit à rire.

« Arrête ! s'écria-t-il en secouant son pied. Arrête ! Tu me chatouilles ! »

Mais la bête continuait et Ben fut pris d'un fou rire incontrôlable. Il ne supportait pas qu'on le chatouille ; alors, plantant ses doigts et ses orteils dans la terre meuble, la carcasse de l'oiseau entre les dents, il se hissa à l'air libre. Le souvenir de Burton l'arrêta un instant à l'entrée, aussi fit-il un tour d'horizon attentif avant de sortir complètement, sans toutefois se mettre debout. Il but à nouveau dans la vasque et s'assit en tailleur dans l'herbe, guettant la sortie de la mère blaireau. Mais elle ne se montrait pas et, au bout d'un moment, il se remit à manger la cuisse qu'il avait entamée.

Quand il ne lui resta plus que l'os dans les mains, il jeta un nouveau coup d'œil alentour et l'aperçut aussitôt, accroupie dans l'herbe à deux ou trois mètres de lui, qui le regardait manger. Elle avait dû passer par l'autre issue. Une fois encore, Ben tenta de briser un morceau de la poule sauvage pour le lui donner, mais les tendons résistaient et il n'y parvint pas. À l'intérieur de la carcasse, cependant, restaient collés les poumons, avec le cœur et foie. Il arracha d'une main le tout, qu'il tendit vers la bête.

Elle montra les dents un bref instant comme si elle allait se mettre à gronder, puis resta là à le regarder. Quand il devint évident qu'elle ne viendrait pas lui manger dans la main, il haussa les épaules et lui jeta la poignée d'abats. Elle tendit le cou pour les flairer puis, avec une délicatesse prudente, la tête légèrement penchée de côté, elle les souleva du bout des dents et les happa.

« Dis donc, tu as faim toi aussi, dit Ben en souriant. Je suis drôlement content que tu m'aies apporté cette poulette. J'avais une de ces faims ! Tu en veux encore ? »

Une troisième fois, il tenta d'en arracher un morceau et, n'y arrivant pas, il essaya avec ses dents, mais sans plus de succès. Il trouva un caillou plat, éclat de rocher à l'arête irrégulière, à moitié enterré sous l'herbe à ses pieds et, en le manœuvrant à deux mains, il finit par l'extraire du sol. Avec cet outil primitif, il se mit à scier l'autre patte de la poule, en haut de la cuisse. Mais cela n'avançait guère, alors il plaça la carcasse au bord de la vasque où, en la tenant d'une main, il entreprit de hacher l'articulation à grands coups de caillou. Tout d'abord, ses gesticulations et le bruit des coups effrayèrent dame Blaireau, qui manifesta quelque nervosité mais, comme le garçon continuait à s'activer sans même lui accorder un regard, elle se remit à l'observer sans bouger. Petit à petit, la hache improvisée écrasait l'os et les tendons et, en quelques minutes, Ben sépara de la cuisse une masse de chair informe qu'il lança vers la bête.

Elle s'en saisit, puis s'allongea, la viande calée sous une patte. Au lieu de la dévorer comme l'aurait fait un chien, elle la dégustait lentement, un peu comme un chat, à petites bouchées qu'elle mâchait avant d'avaler.

Ben aussi continua à manger. Quand sa compagne eut terminé la carcasse, il se sentit repu, et il lui lança le reste de la deuxième cuisse. Il le regretta aussitôt, car avant peu il aurait sans doute encore faim. Tenté d'aller le lui reprendre, il se ravisa. Alors il se pencha sur la vasque et but de nouveau, puis il considéra l'entrée du terrier. Il ramassa le caillou plat, s'allongea sur le ventre et redescendit dans le trou en rampant, la tête la première cette fois. Utilisant le caillou comme une pioche, il entreprit d'élargir le tunnel, non près de l'entrée où son corps mince se frayait un passage sans effort mais en dessous, à une certaine profondeur.

La terre qu'il piochait s'accumulait devant lui et lorsqu'elle lui boucha le passage, il sortit à reculons, le caillou toujours dans une main, une poignée de terre humide dans l'autre. Sur le point de la jeter, il secoua la tête avec une grimace : à ce train-là, il lui faudrait la journée tout entière rien que pour ramener à la surface ce qu'il venait de creuser en cinq minutes.

Il chercha des yeux la mère blaireau mais elle avait encore disparu ; pour la première fois, il se sentit seul sans elle et lui en voulut presque de l'avoir laissé. Néanmoins, il se dit qu'elle finirait bien par revenir et il reprit son problème de terrassement où il l'avait laissé. Il n'avait pas l'intention de creuser beaucoup plus profond ; ce qu'il voulait, c'était élargir en bas une cavité assez spacieuse pour se retourner, où il pourrait se blottir sans attraper de crampes, et entrer et sortir la tête la première. Qu'il pût déjà y avoir une chambre semblable là-dessous ne lui vint pas à l'esprit ; il pensait que le terrier n'était qu'un long tunnel avec une issue à chaque bout. Restait le problème initial : comment faire pour remonter à la surface la terre qu'il aurait dégagée ?

Une idée lui vint et il se mit à rire doucement de sa propre astuce. Il dénoua la lanière de cuir brut qui lui servait de ceinture et retira son pantalon. Puis il serra la taille et la ficela solidement, terminant par un triple nœud. Avec ce sac improvisé, il pourrait charrier des kilos de terre à chaque fois. Ah, mais il risquait d'en perdre par le trou au genou ! Alors il tira une des chaussettes de la poche où il les avait rangées et l'attacha au-dessus de la déchirure, puis se remit à rire, très fier : il avait tout prévu ! Redescendu dans le tunnel, il poussa son pantalon devant lui à travers le tas de terre accumulée, puis il entreprit de remplir la jambe qui restait ouverte. Ce récipient de fortune contenait en fait bien plus que Ben ne l'avait imaginé, et il ramena à la surface non seulement ce qu'il avait déjà creusé, mais plus encore.

Une fois en haut, il dispersa cette première charge à quelques pas du trou, mais s'accroupit soudain, les yeux au ras des herbes. Au loin, un cavalier se profilait, qui se dirigeait en faisant de larges zigzags vers le sud-ouest. Bien qu'aucun chien ne semblât l'accompagner, Ben était sûr qu'il s'agissait encore de Burton. Il resta là à l'observer, prêt à plonger dans le terrier, mais après avoir fait route vers lui brièvement à deux reprises, le cavalier, qui ne s'était jamais approché à moins de cinq cents mètres, disparut derrière une colline, loin dans le sud-ouest. Là-bas, à l'horizon, de gros nuages noirs s'élevaient à nouveau. Ben redescendit dans le tunnel et se remit au travail.

Il avait à peu près atteint la profondeur où il avait l'intention de se ménager une niche plus large, pour dormir à son aise, lorsqu'il se rendit compte que le tunnel ne descendait plus, mais continuait à l'horizontale. Il tendit le cou aussi loin que possible, les yeux grands ouverts dans le noir, et retint son souffle. Au lieu de l'obscurité totale à laquelle il s'attendait, il distinguait vaguement l'intérieur du boyau et, deux ou trois mètres plus loin, une espèce de cavité à peine visible dans laquelle celui-ci débouchait.

Ben abandonna sur-le-champ toute idée de creuser une niche et se remit au travail, avec une énergie renouvelée, pour atteindre cette ouverture qu'il entrevoyait. Cinq fois il revint à la surface pour vider son pantalon bourré de terre. Au lieu de simplement l'entasser là, il l'éparpillait en faisant tourner le pantalon autour de lui comme une fronde. La cinquième fois, il aperçut un autre cavalier, beaucoup plus près. Assez près pour voir qu'il ne s'agissait pas de Burton, mais ce n'était personne de sa connaissance. À quatre pattes dans l'herbe, il fila immédiatement vers le trou et y replongea tête la première. Il redescendit jusqu'au niveau du coude dans le tunnel et resta là un moment, tapi en silence, une bonne demi-heure, sans entendre le moindre bruit à l'extérieur. De nouveau, il reprit sa progression et son sac à moitié rempli seulement, il atteignit enfin la cavité.

Poussant son pantalon en boule devant lui, il déboucha dans une sorte de pièce où, après avoir vidé la terre dans un coin, il s'aperçut qu'il pouvait tenir debout. Bien que la lumière distillée par les interstices entre les rochers du plafond n'ait guère ménagé qu'une vague lueur, il avait les yeux si habitués à l'obscurité du tunnel que l'intérieur de la chambre souterraine lui apparaissait très clairement.

Elle avait la forme d'un grand cône, et il l'inspecta en détail. Les couches d'herbes desséchées et de mousses jaunies craquaient sous ses doigts et il se pencha, le nez au ras du sol, pour jeter un coup d'œil dans l'obscurité impénétrable du long tunnel de secours, dont l'ouverture était si proche de celle par laquelle il était entré.

C'est un mélange de soif et de curiosité qui, au bout d'un moment, le poussa à remonter au grand jour, la tête la première cette fois. Loin, très loin, plein sud, tremblait un point à l'horizon, un cavalier manifestement. À cette distance, il n'y avait aucun danger que l'homme le repère, et il étancha longuement sa soif dans la vasque naturelle, dont le contenu avait considérablement diminué.

Un sentiment aigu de solitude s'insinuait à nouveau en lui maintenant que rien n'occupait plus son attention, et il sentit soudain des larmes lui monter aux yeux.

« Maman, dit-il à voix basse, mais distinctement. Maman, où es-tu ? »

Pour toute réponse, il entendit la brise qui se levait froisser les hautes herbes et, loin dans l'ouest, les premiers roulements assourdis du tonnerre. Ses jambes nues exposées au vent, il eut un long frisson. Il avait de nouveau faim et regrettait d'avoir donné les restes de la poule sauvage à la mère blaireau. Il se dirigea vers l'endroit où elle avait mangé, mais il ne restait plus rien, pas même un os.

Il se retrouva en train de pleurer à chaudes larmes, tout son corps menu secoué de gros sanglots, debout, seul, minuscule entre l'immensité de la Prairie et le ciel sans limites. Il alla s'asseoir à l'entrée du terrier et, entre deux sanglots, il appelait sa mère. À plusieurs reprises il prononça le nom de son grand frère, John, et une fois, d'une voix plaintive et soumise, il dit aussi : « Papa ! »

9

Le jour de la disparition de Ben, Esther MacDonald ne s'était pas vraiment fait de souci jusqu'à midi. Elle avait regardé dehors à plusieurs reprises et, ne voyant pas son petit dernier, s'était prise à espérer que Ben était avec son père et que William en profitait pour développer le lien fragile qui semblait s'être établi entre eux. Deux fois au cours de la matinée, elle avait failli se rendre à l'écurie pour se rassurer, puis elle s'était raisonnée, craignant de gâcher un moment privilégié.

Peu après midi, elle sortit sous la véranda pour sonner l'heure du déjeuner au grand triangle de métal qui servait de cloche, et ce n'est que lorsque son mari rentra seul que l'inquiétude assaillit Esther. William MacDonald, tout en travaillant dans l'écurie, avait lui aussi jeté un coup d'œil au-dehors et, ne voyant pas l'enfant, en avait conclu qu'il devait être dans la maison avec sa mère.

Esther ressortit, frappa à nouveau le lourd triangle, porta ses mains en cornet à sa bouche et appela :

« Beeenn ! Benjamiiinn ! »

Pas de réponse. Seul, très loin, un roulement de tonnerre assourdi. Elle plissa le front et se mordit la lèvre. Ça ne ressemblait pas à Ben. Pas du tout. Elle revint dans la cuisine où William s'était mis à table. Lorsqu'il leva les yeux vers elle, elle secoua la tête avec anxiété.

« Il ne répond pas. Où crois-tu qu'il ait pu aller se cacher ? »

MacDonald n'avait pas l'air inquiet.

« Comme je le connais, dit-il en coupant une épaisse tranche du pain qu'Esther venait de sortir du four, il doit être en train de discuter avec un écureuil ou un raton laveur. »

Il sourit pour souligner qu'il plaisantait, mais Esther le prit mal.

« Ça n'est pas drôle, William. Il s'agit de ton fils. »

MacDonald haussa les épaules.

« D'accord, ça n'est pas très drôle. Mais je ne me moquais pas de lui. Écoute, arrête de te faire du souci, chérie. Ce que je voulais dire... Tu sais comme il est. Il peut passer des heures à regarder une guêpe faire son nid, ou suivre un des moutons à quatre pattes jusqu'au bas de la colline, est-ce que je sais ? Il n'a sans doute pas vu le temps passer ; il va arriver d'une minute à l'autre. Il t'a entendue sonner le déjeuner, et il doit être en train de rentrer au galop à travers champs, avec une faim de loup. Assieds-toi donc, et mange. S'il n'est pas là quand nous aurons fini, je tâcherai d'aller le dénicher. »

Esther s'était calmée.

« Bon, d'accord, dit-elle en s'asseyant à table. Mais je t'en prie, quand tu le trouveras, ne le gronde pas. Un bout de chou comme lui n'a pas le sens de l'heure. Ramène-le-moi et je me chargerai de lui expliquer qu'il faut être là quand le déjeuner est prêt. »

Mais, à la fin du repas, Ben ne s'était toujours pas montré, et l'inquiétude d'Esther la reprit, décuplée. Elle sortit avec William et ils se séparèrent pour inspecter la grange, les hangars, la bergerie, les abords de la ferme, tout en criant son nom à intervalles réguliers. Il n'était nulle part. Ils se retrouvèrent devant la véranda et l'angoisse d'Esther tourmentait maintenant son mari.

« Je n'y comprends rien, dit-il lentement. Où crois-tu qu'il soit allé ?

— Je ne sais pas, Will. Je ne sais pas. Mais je commence à avoir peur. Tu ne crois pas qu'il ait pu se blesser, se casser quelque chose ? »

MacDonald secoua la tête.

« Ça me paraît peu probable, mais va savoir... Où

était-il, la dernière fois que tu l'as vu ? Moi, je crois que c'est là-bas, il était en train de jouer sur le tas de terre à côté du... »

Il se tut, la gorge nouée.

Les yeux d'Esther s'agrandirent.

« Seigneur ! Il serait tombé dans le nouveau puits ? »

Ils coururent ensemble jusqu'au grand trou béant et y plongèrent le regard, tremblants d'appréhension. Le puits faisait déjà environ six mètres et MacDonald comptait bien trouver de l'eau à un ou deux mètres plus bas. Mais le fond était vide. Esther s'appuya contre William et se prit le front dans les mains. La peur lui avait donné comme une nausée ; mais au soulagement que Ben ne soit pas tombé dans le puits succéda aussitôt une angoisse nouvelle, car il restait à trouver l'enfant. MacDonald lui tapota maladroitement le dos pendant un moment, puis il montra du doigt le tas de déblais.

« Il y a bien ses traces, là, dans la terre fraîche, mais pas moyen de savoir par où il est parti. Je vais seller Dover et faire un tour. Peut-être qu'il s'est retrouvé plus loin qu'il ne comptait. »

Esther lui montra les nuages épais qui s'amoncelaient dans l'ouest.

« Il faut le trouver vite, Will. »

Il hocha la tête en serrant les mâchoires.

« Je le trouverai, ne t'en fais pas. »

Mais William MacDonald ne retrouva pas Ben. Pendant plus d'une heure il patrouilla autour de la colline, en s'éloignant à chaque fois un peu plus, s'arrêtant ici et là, debout dans ses étriers, pour crier le nom de l'enfant tandis qu'il balayait la houle des hautes herbes à la recherche du moindre signe de son fils. De plus en plus souvent, son regard se tournait vers les arbres de la rivière Rouge qui coulait à moins de deux kilomètres de la maison. Combien de fois avait-on répété au petit de ne pas aller jouer là-bas, près de cette rivière au courant rapide ? Il avait promis qu'il n'irait plus. Mais peut-être cette fois la tentation avait-elle été trop forte...

Il partit dans la direction des arbres, en faisant de larges détours pour couvrir le plus de terrain possible, mais il ne trouva rien en chemin ni le long de la rivière. Une peur glacée l'étreignait maintenant. La petite taille du garçon, son incapacité à se défendre, sa totale impuissance, tout cela décuplait son angoisse et William se prit à imaginer le pire : on ne parlait plus d'accidents dus aux loups ces dernières années, mais le petit offrait une proie si facile... Les blaireaux aussi pouvaient se montrer dangereux, et Ben disait en avoir rencontré un récemment. Et les ours ? Les grands ours noirs, pataud, étaient plutôt timorés et inoffensifs en temps normal, mais si on les dérangeait, ils n'hésitaient pas à attaquer... Et les carcajous, qu'on voyait de temps en temps par ici ? Ne les appelait-on pas aussi « gloutons » ? Dieu merci, on en rencontrait plutôt l'hiver, venus du nord. Mais comment savoir... Des images terribles assaillaient l'esprit de Mac-Donald. Il se secoua comme pour s'en débarrasser et reprit ses recherches.

Il n'était pas loin de quatre heures de l'après-midi

lorsque, l'orage sur les talons, MacDonald revint à la maison en priant Dieu d'y trouver Ben sain et sauf. Esther était sur le pas de la porte ; John, Beth et Coral, qui venaient de rentrer de l'école, se pressaient autour d'elle. Un seul coup d'œil, et leurs regards anxieux lui apprirent que Ben n'était pas rentré. Il fit non de la tête, et Esther étouffa un cri. MacDonald s'adressa à son aîné.

« John, mets ton ciré. Quadrille le secteur nord, nord-ouest. Ne t'éloigne pas trop. À mon avis, Ben n'est pas allé à plus de trois ou quatre kilomètres. J'ai déjà patrouillé entre ici et la rivière, et j'ai fait un bout de chemin vers le sud, le long des berges. Rien. Continue à chercher jusqu'à ce que je revienne. Beth, toi et Coral, vous allez aider votre maman. Je veux que vous fouilliez la ferme de fond en comble, au grenier, à la cave, sous les lits, dans la grange, *partout* ! Nous l'avons déjà fait, mais recommencez. Regardez dans les moindres recoins, dans tous les endroits qui auraient pu lui servir de cachette.

« Esther, ma chérie, ajouta-t-il, je vais chercher de l'aide. Je demanderai à Burton, à McKinzie, à Scortie et aux voisins les plus proches de nous aider. Et j'enverrai quelqu'un à North Corners rassembler assez de monde pour organiser une vraie battue. Il n'y a pas de temps à perdre. Je reviens dès que possible. »

Il fit pivoter Dover et pressa des talons les flancs du grand hongre noir. Le cheval l'emporta au galop sur la piste, vers le sud-est. C'est à peu près à ce moment-là que l'orage éclata.

156

À travers la pluie torrentielle, les hommes arrivèrent. D'abord Burton, qui habitait le plus près, puis d'autres, seuls ou en petits groupes, à deux trois ou quatre. William MacDonald revint avec les quatre fils Billington, tous aussi dégingandés les uns que les autres, et n'eut que le temps de dire à Esther que leur père avait lui-même proposé d'aller chercher du monde à North Corners pour la battue.

Les hommes et les jeunes gens se dispersèrent dans toutes les directions, les yeux plissés dans la pluie battante, leurs appels vite noyés par le tonnerre et les rafales d'eau, emportés par les bourrasques de vent. Juste avant la nuit, escortés par onze hommes à cheval, trois chariots et quatre buggies arrivèrent devant la maison. Un certain nombre de femmes étaient venues tenir compagnie à Esther et aux filles, apportant ce qu'elles avaient sous la main pour nourrir tous ceux qui participaient aux recherches : pâtés, pains, rôtis, jambons, fruits et légumes. Il semblait à Esther qu'une centaine de personnes allaient et venaient, entraient et sortaient de la maison dans un ballet incessant, or il y en avait à peine la moitié.

On s'était mis d'accord pour ne tirer au fusil que si on avait retrouvé l'enfant. Quand on l'aurait ramené à la maison, alors on tirerait des salves de cinq coups à intervalles réguliers jusqu'à ce que tout le monde soit rentré. Mais la battue continua pendant toute cette nuit d'orage, et on n'entendit pas un seul coup de feu.

Un énorme petit déjeuner fut servi au matin et dévoré

par les rabatteurs, trempés jusqu'aux os, qui repartaient aussitôt. À chaque nouvelle arrivée, c'était une volée de questions, toujours les mêmes :

« Vous l'avez trouvé ? »

« Pas de Ben ? »

« Même pas une trace de lui ? »

Et la réponse était invariable :

Non. Même George Burton, qui était sans doute le pisteur le plus expérimenté de tous, n'en revenait pas.

À l'un de ses retours à la maison, ne se doutant pas à quel point il était près de la vérité, il déclara :

« Pour moi, ou bien le gamin s'est envolé, ou bien il a disparu sous terre, parce que je peux vous dire qu'il est nulle part les pieds dans l'herbe à cinq kilomètres à la ronde. Et puis on aurait trouvé des traces. Mais là, rien de rien. »

Esther, avec Beth et Coral auprès d'elle, pâle, les traits tirés, restait assise la plupart du temps et ne disait rien. Elle attendait. Elle ne faisait qu'attendre. Et dans les yeux de ceux qui lui jetaient de brefs regards, pour se détourner aussitôt, elle lisait un espoir qui s'amenuisait, une sympathie muette, qu'elle refusait en bloc. Quelque part là, au-dehors, son petit Ben était encore vivant, sans doute en train de pleurer en appelant sa maman à l'aide. Il fallait qu'ils le trouvent. Il le *fallait*.

Mais ils ne le trouvèrent pas.

La fatigue commençait à marquer les visages. Les yeux, rougis par le manque de sommeil, cillaient doulou-reusement. Les joues bleues de barbe, les hommes se frottaient le menton en échangeant des regards sceptiques. Et pourtant, ils continuaient à chercher. Tout ce jour-là et la nuit suivante, où la pluie ne tomba pas, ils continuèrent à arpenter les alentours, et l'on voyait leurs lanternes vaciller au loin dans l'obscurité de la Prairie désolée comme autant de lugubres feux follets. La deuxième nuit, certains rentrèrent vers minuit et, fourbus, s'écroulèrent sur le plancher dans la maison, d'autres dans la grange. Mais après un somme d'une heure à peine ils étaient de nouveau debout et repartaient. Pendant deux nuits et deux journées entières ils battirent la campagne et ce ne fut que peu avant le coucher du soleil, le deuxième jour, alors que la pluie s'était calmée et que le vent était tombé, que cinq coups de feu à la suite résonnèrent dans la cour de la ferme. Jusque loin dans les collines les hommes de la battue les entendirent et, avec un soupir de soulagement, tournèrent bride en direction de Hawk's Hill.

William MacDonald se trouvait alors à l'extrême limite de la zone de recherches, et sa fatigue aussi était extrême car il n'avait ni fermé l'œil, ni mangé, ni pris le moindre repos depuis le début ; mais lui aussi tourna bride vers la maison et força Dover à prendre le galop à contrecœur – la pauvre bête était aussi fourbue que lui – dès que le bruit assourdi de la salve lui parvint.

Tout le monde, ou presque, était déjà là lorsqu'il arriva. Le murmure des conversations s'éteignit et les regards se tournèrent vers lui. Il n'y avait pas un sourire.

« On l'a trouvé ? » s'écria MacDonald en sautant de son cheval pour courir vers la compagnie assemblée devant la maison. « Il va bien ? Où est-il ? »

Esther jeta ses bras autour de lui et enfouit son visage contre l'épaule de son mari.

« On ne l'a pas trouvé, Will. On n'a pas retrouvé notre Ben. »

Les joues de MacDonald s'enflammèrent, son regard se durcit et balaya les figures sombres.

« Qui a tiré ? demanda-t-il d'une voix cassante. Qui a tiré alors qu'on ne l'a pas encore retrouvé ? »

Joe Billington se détacha du groupe. Par contraste avec ses grands échalas de fils, c'était un homme petit et trapu, au torse large et puissant.

« C'est moi qui ai tiré, MacDonald, dit-il. Je voulais qu'on parle. Ça n'est plus la peine de continuer. On ne trouvera pas le gosse.

— Vous... vous abandonnez les recherches ? »

MacDonald avait l'air abasourdi.

« Oui. Ça ne sert plus à rien. On en a discuté entre nous. S'il y avait le moindre indice, le moindre signe qu'il est encore vivant, si on avait la moindre idée de la direction où il est parti, on continuerait. Mais il faut bien se rendre à l'évidence, on n'a pas relevé la plus petite trace de votre garçon. »

MacDonald allait répondre, mais Billington l'arrêta d'un geste, grave, l'air navré.

« Je sais bien ce que vous pensez, MacDonald. Et je penserais la même chose si c'était un de mes enfants.

Mais regardez un peu : on est trente-deux, là, en comptant John et vous, et ça fait deux jours et deux nuits qu'on bat la campagne. Malgré tout le temps qu'on y a passé, tout le terrain qu'on a quadrillé, on n'a pas trouvé le moindre signe. Tout ça ne peut signifier qu'une chose : la rivière. Il a dû tomber dedans et être emporté sans laisser de traces. MacDonald, il n'y en a pas un ici qui aurait l'idée d'abandonner s'il y avait le moindre espoir. Mais je suis désolé, de l'espoir, il n'y en a plus. »

Robert McKinzie, un grand bonhomme solide aux cheveux presque blancs, prit à son tour la parole. Cela faisait dix-huit ans qu'ils étaient voisins, et McKinzie était sans doute, de tous ceux qui se trouvaient là, celui dont MacDonald se sentait le plus proche. Mais McKinzie, non plus, n'avait pas d'espoir à offrir.

« J'ai bien peur qu'il ait raison, William. On n'a pas pu trouver la moindre trace de Ben, le plus probable c'est qu'il est allé directement à la rivière et que, va savoir comment, il est tombé dedans. Dans ce cas, Dieu seul sait où il est à cette heure. Avec l'eau qui est montée depuis deux jours, il a pu être emporté jusqu'au lac. »

Il fit une pause, puis ajouta :

« On est désolés, William. Tous autant qu'on est, on est vraiment navrés. On a fait tout notre possible, mais à l'heure qu'il est, ça ne sert plus à rien. (D'un bras, il balaya l'horizon.) S'il était encore vivant, on aurait vu quelque chose. »

MacDonald s'était mis à secouer la tête pendant que parlait Joe Billington, et avait continué jusqu'aux derniers mots de McKinzie. Il savait bien qu'il devait leur être reconnaissant de leur aide, de toute l'énergie qu'ils avaient dépensée depuis deux jours, mais il ne voyait plus que leur abandon : ils le laissaient seul et sans moyens pour continuer ; ils tentaient même de lui enlever l'espoir auquel ils s'accrochaient, Esther et lui. Il secoua la tête une dernière fois et prit la parole d'une voix sèche et amère.

« Vous vous trompez, tous autant que vous êtes. Esther et moi, John et les filles, nous vous remercions de nous avoir aidés, mais nous ne pouvons pas accepter l'idée qu'il n'est plus là. Rentrez chez vous si vous voulez. Nous allons continuer à chercher. Ben se trouve quelque part et nous le trouverons. »

Il n'y avait plus rien à ajouter. Quelques-uns dans l'assemblée furent un peu vexés qu'après tous leurs efforts cet Écossais se montre si peu reconnaissant, mais la plupart comprenaient son amertume et éprouvaient de la compassion pour lui et son épouse. Cependant la réalité de la situation était là : ce n'était pas leur faute si Ben s'était perdu et si on ne l'avait pas retrouvé. Ils avaient donné leur temps et leur énergie sans compter, et il était injuste et absurde d'attendre d'eux qu'ils continuent les recherches indéfiniment. Pourtant, ce n'est pas sans embarras – et même une certaine culpabilité – qu'ils se dispersèrent pour remonter dans leurs chariots ou enfourcher leurs chevaux et repartir l'un derrière l'autre sur la piste creusée d'ornières.

Debout dans la cour, Esther et William MacDonald les

regardèrent s'éloigner, conscients de ce que Beth, John et Coral les observaient en silence de la véranda. William mit enfin son bras autour des épaules de son épouse et l'entraîna lentement vers la maison. Il était accablé, mais ne s'avouait pas battu.

« Ben n'est pas mort, Esther, lui dit-il doucement. Il est sûrement quelque part et nous découvrirons une trace qui nous mettra sur sa piste. Demain nous y verrons plus clair et nous continuerons à chercher. Nous le retrouverons. Nous n'abandonnerons pas. »

10

Lorsque la pluie reprit, le second soir, Ben était dans la chambre souterraine, endormi. Il avait secoué de son pantalon le plus gros de la terre qui y était restée collée, puis l'avait enfilé à nouveau car il n'avait pas très chaud. Couché en chien de fusil, il frissonnait encore bien qu'il eût improvisé une couverture d'herbes sèches, et, de temps en temps, poussait dans son sommeil des gémissements inarticulés.

On n'entendait pas la pluie au-dehors, mais ici et là

des gouttes tombaient dans la tanière avec une monotonie persistante. L'obscurité succéda au crépuscule et, environ une heure après, il y eut un halètement enroué dans le tunnel principal et la mère blaireau apparut prudemment. Si Ben avait été éveillé, il aurait eu du mal à la distinguer dans le noir complet, mais elle possédait naturellement une vue de chasseur nocturne qui lui permettait d'apercevoir assez clairement le garçon. Elle resta là, silencieuse, à contempler cette forme endormie pendant un temps considérable. Puis elle émit un gémissement presque inaudible, s'ébroua vigoureusement à deux reprises, et s'approcha. Alors, elle posa son museau sur le bras du dormeur. Il ne se réveilla pas.

Elle gémit encore faiblement et se glissa dans l'intervalle étroit qui restait entre le garçon et la paroi de la tanière. Ben, à son contact, ouvrit les yeux, un instant surpris par sa présence ; mais sa chaleur et sa proximité avaient quelque chose d'étrangement rassurant et, au bout d'un moment, il se blottit contre elle et l'entoura d'un bras. Elle se contracta légèrement, puis se détendit et gémit à nouveau. Mais Ben ne lui répondit pas : il s'était déjà rendormi.

Peu avant l'aube, dame Blaireau remua, s'étira et se dégagea de l'étreinte du garçon. Elle quitta la tanière sans qu'il s'éveille et il dormait encore lorsqu'elle revint, une bonne heure avant le jour. Elle approcha, émit son jacassement guttural, toucha la joue de l'enfant du bout de son nez, puis recula d'un pas quand il ouvrit progressivement les yeux. Il faisait maintenant beaucoup plus clair dans la chambre souterraine.

« Tu es revenue, dit-il. Je suis bien content. »

Il se mit sur son séant, bâilla et tendit la main pour lui donner une caresse. Cette fois-ci, elle n'eut pas le moindre réflexe de recul et, au bout d'un moment, elle ouvrit la bouche. Un œuf bistre roula sur le sol. Quelques taches brunes à la plus petite extrémité de l'œuf, plus foncées, portaient la trace de sa salive. Il était un peu plus petit qu'un œuf de poule.

Pendant un instant, Ben n'en crut pas ses yeux : il avait eu l'impression qu'elle venait de pondre l'œuf par la bouche. Mais la faim eut vite raison de son étonnement et il le ramassa avidement, reconnaissant aussitôt un œuf de poule-des-prairies. Il n'avait pas l'intention d'en gaspiller une seule goutte, aussi saisit-il son caillou, qu'il avait posé près de lui, et tapa délicatement l'extrémité tachetée jusqu'à ce qu'elle cède. Heureusement, dans la pénombre de la tanière, il ne vit pas que c'était un œuf presque à moitié couvé, contenant un embryon encore gélatineux.

Il élargit du bout des doigts l'ouverture de la coquille, la porta à sa bouche et renversa la tête. Le contenu de l'œuf lui glissa dans la bouche si vite qu'il l'avala aussitôt. Il cligna des yeux et sourit à pleines dents.

« Tu as vu ? Je l'ai gobé tout rond ! » dit-il.

Il passa sa langue dans le trou, mais l'intérieur était vide et il jeta la coquille dans un coin, puis regarda avec intérêt la mère blaireau venir s'asseoir près de lui. Il passa une main dans sa fourrure et elle se rapprocha encore. Elle lui lécha la joue plusieurs fois et, tandis qu'il continuait de la caresser, elle se coucha et roula sur le côté, exposant ses tétons gonflés de lait. Tout d'abord il ne comprit pas, mais bientôt se rendit compte qu'elle les lui offrait à téter, comme il avait vu les brebis le faire avec leurs agneaux. Il se demanda s'il pouvait, il eut même un instant l'envie d'essayer, mais, aussi affamé qu'il fût, l'idée avait pour lui quelque chose de choquant et il fit non de la tête. Il lui tapota le flanc, caressa à nouveau la longue fourrure, prit entre ses doigts les oreilles rondes pour les frotter doucement, mais il resta assis le dos à la paroi.

Au bout d'un moment, elle se redressa sur ses pattes. Elle émit un grognement suivi d'un court jacassement qu'il imita immédiatement, puis elle prit la coquille vide délicatement dans sa gueule et disparut par le tunnel principal. Il hésita, puis la suivit mais, quand il arriva à l'air libre, elle n'était plus là.

La pluie de la nuit avait nettoyé et rempli à ras bords la vasque. Il but tout son soûl puis fit le tour du tas de rochers à quatre pattes et baissa son pantalon pour faire ses besoins. Accroupi, il balaya l'horizon des yeux et sursauta en apercevant non pas un, mais trois cavaliers dans le lointain. Il termina rapidement, s'essuya avec une poignée d'herbe et remonta son pantalon. En deux secondes il était à nouveau dans le terrier où, appuyé sur les coudes, il continua à scruter l'horizon.

Ce n'était pas pour lui-même qu'il avait peur cette fois

– il avait le refuge de la tanière directement sous ses pieds – mais pour la mère blaireau : il ne fallait pas que ces hommes la voient. Des images du blaireau mort que Burton avait rapporté à Hawk's Hill se bousculaient dans son esprit. Il revit le crâne enfoncé, cet endroit horriblement mou sous ses doigts, là où le gourdin de Burton avait porté le coup mortel à l'animal. Il était malade de peur pour sa compagne à l'oreille fendue, paniqué à l'idée que la même chose puisse lui arriver.

Il se tourmentait bien inutilement. Dame Blaireau n'était pas une débutante. Elle connaissait à fond l'art de naviguer dans la Prairie sans être vue. Son physique court sur pattes la maintenait au ras du sol, en dessous du niveau des herbes si elle en décidait ainsi. Néanmoins, Ben s'inquiétait pour elle et lorsqu'un des cavaliers obliqua dans sa direction, bien qu'il fût encore à plus d'un kilomètre, l'enfant disparut au fond du trou et retourna dans la chambre souterraine où il resta assis de longues minutes, tout tremblant.

Un peu plus d'un quart d'heure plus tard, la mère blaireau rentra au logis, un autre œuf de poule sauvage entre les dents. Il le ramassa sur le sol de la tanière où elle l'avait posé et le goba comme le premier, avec autant de plaisir. Elle repartit et, une demi-heure plus tard, revint avec un troisième œuf. Quand midi arriva, elle lui avait apporté un total de huit œufs qu'il avait tous mangés les uns après les autres. Sachant que les poules-de-prairie pondent normalement de douze à quatorze œufs, il supposa qu'elle en avait mangé quelques-uns au nid, il s'agissait probablement du nid de la poule qu'ils avaient partagée le jour précédent.

La fois suivante, lorsqu'elle revint, elle ne tenait pas dans sa gueule un œuf, mais une grande couleuvre. Elle déposa ce cadeau sur le sol devant lui, mais il n'en voulait pas et, lorsqu'elle l'eut compris, elle s'installa pour dévorer le reptile.

Allongé sur le flanc, Ben la regardait manger, mais il s'endormit à nouveau avant qu'elle eût fini. Elle se lova à ses côtés comme la nuit précédente et, presque automatiquement, son bras se souleva et lui fit une place douillette tout contre lui.

Un rapport de routine était en train de s'établir entre eux, auquel ils s'adaptèrent avec une aisance remarquable. Les jours qui suivirent, elle chassa surtout la nuit et, le matin lorsqu'il s'éveillait, il y avait toujours une proie nouvelle pour lui. Une fois ce fut un tamia, une autre un mallard adulte en train de muer. Deux fois de suite elle lui rapporta des poules sauvages et, comme il l'avait fait déjà, il les débita en morceaux avec son caillou, lui donna la tête, les pattes, les ailes, les intestins et les abats, gardant pour lui-même les pilons et la chair de la poitrine. Elle revint aussi avec des souris et, si sa faim n'avait pas été si intense – cela faisait quinze heures qu'il n'avait rien mangé –, il aurait refusé. Mais il surmonta son dégoût, dépiauta la petite bête, donna la peau, la tête, la queue, les pattes et les entrailles à sa compagne, puis mangea la bouchée de viande qui restait. À sa grande surprise, il ne trouva pas cela mauvais du tout et, lorsqu'elle en rapporta d'autres à la tanière, il les nettoya et les mangea sans plus d'hésitation. Elle lui rapporta également des gâteaux de cire sauvage dégoulinants de miel, et même un bout de pain de bonne taille que quelqu'un avait dû laisser tomber sur la piste.

Bien que la relation entre l'enfant et la bête sauvage ait commencé simplement par un partage de nourriture et d'abri, elle n'en resta pas là. Il se développait entre eux une affection profonde et même un goût du jeu. Pendant la première semaine, Ben resta dans la chambre souterraine le plus clair du temps, ne revenant à l'air libre que rarement, pour boire ou faire ses besoins. Sa réserve d'eau risquait en permanence de se tarir. À deux reprises déjà il avait dû lécher le fond. Mais chaque fois un heureux hasard en forme d'averse l'avait remplie à nouveau.

Au bout de la première semaine, Ben s'aventura dehors avec elle plus souvent, toujours en copiant ses mouvements, en répondant en écho à ses grognements, soupirs et jacassements divers, capable même d'imiter avec une exactitude surprenante sa démarche chaloupée, se coulant entre les herbes en rase-mottes. Il était rare qu'il se mette debout, et c'était toujours brièvement, pour faire un tour d'horizon avant de se remettre à quatre pattes.

Fréquemment, ils jouaient ensemble comme des enfants. Elle partait en courant et il galopait après elle, à quatre pattes à travers les hautes herbes, lui haletant et riant sans discontinuer, elle avec son souffle sifflant entrecoupé de jacassements. Et lorsque enfin il la rattrapait

171

– ou plutôt, qu'elle se laissait rattraper – il se jetait sur elle à bras-le-corps et ils roulaient ensemble dans l'herbe, mêlant rires et grognements de plaisir. Soudain, c'était son tour et il filait à perdre haleine, la grosse bête sur ses talons ; bientôt elle le plaquait au sol comme il l'avait fait, et ils semblaient ne jamais se lasser de ces jeux.

C'est à la fin de son troisième jour avec elle que Ben avait remarqué qu'elle semblait boiter de plus en plus. Comme elle s'allongeait sur le sol de la tanière, il s'assit près d'elle et lui souleva doucement sa patte mutilée. Elle poussa un gémissement et tenta faiblement de se dégager, mais il tint bon, sans la brusquer, et put regarder de près la blessure. Le coussinet du pied était brûlant et terriblement enflé. Un liquide séreux suintait avec difficulté par deux ouvertures minuscules au milieu de la croûte rugueuse qui couvrait la plaie.

Il la laissa et sortit pour tremper une de ses chaussettes dans la réserve d'eau, puis revint près d'elle. Elle n'avait pas bougé et, à part sa respiration un peu bruyante, elle ne protesta pas lorsqu'il lui prit la patte et l'humecta longuement avec cette compresse improvisée. Il put nettoyer la blessure de la terre et des gravillons, mais la croûte était solide. Brusquement il se pencha et cracha dessus, laissant la salive chaude l'imprégner une minute ou deux avant de tamponner à nouveau. Un petit morceau de croûte céda, alors il essaya encore, avec un certain succès. Mais le processus était trop lent à son goût. Alors, de même qu'elle lui léchait fréquemment le visage et les mains, il se mit à lui lécher la patte. Graduellement, la pellicule de croûte se ramollit et s'écailla. Avant peu il ne resta plus que la peau à vif recouvrant la plaie. Alors il plaça délicatement le bord de ses pouces de part et d'autre du coussinet tuméfié et appuya doucement mais progressivement. Elle gémit un peu, et il sentit son corps trembler contre lui, mais elle ne tenta pas de se dégager. Bientôt, de l'une puis de l'autre ouverture qui suintaient toujours, il y eut un jet soudain de sang noirâtre mêlé de pus. Il essuya la plaie soigneusement avec sa chaussette humide, et répéta l'opération trois ou quatre fois jusqu'à ce que plus rien ne sorte de la plaie qu'une quantité infime de fluide clair.

Il n'avait bien sûr aucun moyen de lui faire un pansement et, même s'il l'avait pu, il est peu probable qu'elle l'aurait supporté bien longtemps. Malgré tout, la plaie commença à cicatriser. Pendant cinq jours il réitéra soigneusement sa séance de soins ; et au bout de cinq jours une nouvelle peau, saine, se formait déjà. À son grand plaisir il eut bientôt la preuve qu'elle retrouvait l'usage de sa patte pour chasser. Ainsi, le matin du sixième jour, elle revint à la tanière avec un autre tamia, les poils entre les griffes de ses deux pattes de devant tout encrottés de boue : elle avait sans doute creusé pour le capturer. Et le soir du douzième jour elle apporta un gros spermophile qu'elle était de toute évidence allée dénicher au fond de son terrier.

Lorsque commença sa troisième semaine avec elle, Ben avait tout à fait adopté un comportement de blaireau. Il arrivait à la suivre à quatre pattes sans trop de problèmes, tout en l'accompagnant de grognements et de soupirs asthmatiques, et en ondulant de l'arrière-train comme elle. Il avait cessé de faire le difficile en matière de menu et mangeait – dévorait – avec le même appétit toutes les proies qu'elle lui rapportait, y compris les grenouilles, les lemmings et même une fois un petit serpent à ventre rouge.

Et puis, il ne se contentait plus de rester à la tanière lorsqu'elle partait chasser la nuit. Il se mit à la suivre, l'observant derrière un rideau d'herbes lorsque, parfois, elle trouvait une proie à découvert, ou s'approchant quand elle se mettait à creuser vivement – mais pas aussi vite qu'autrefois – pour déloger tamias, spermophiles et autres écureuils à terriers. Sa capacité à voir la nuit était peu à peu devenue excellente et il semblait même préférer l'obscurité à la lumière du jour. Son horloge physiologique s'était inversée et, comme sa compagne, il dormait le plus clair du jour et passait une bonne partie de la nuit dehors.

Parfois, en particulier lorsqu'il était seul dans la chambre souterraine, les souvenirs de sa famille et de sa maison le submergeaient et il éclatait alors en sanglots, mais c'était de plus en plus rare à mesure que le temps passait.

Il était évident que la grosse mère blaireau l'avait adopté pour remplacer les petits qui étaient morts tandis qu'elle était prisonnière du piège. Il était clair qu'elle le nourrissait et tentait de l'entraîner à chasser comme elle l'aurait fait avec ses rejetons. Il est beaucoup plus difficile de comprendre, en revanche, les changements qui s'étaient opérés dans la personnalité de Ben. En effet, si l'on excepte la chemise qu'il continuait à porter, ainsi que son pantalon qu'il baissait lorsqu'il sortait faire ses besoins, Benjamin MacDonald avait pratiquement abandonné ses habitudes d'être humain et s'adaptait remarquablement à sa vie de blaireau.

Son ravitaillement en eau n'était plus un problème. À environ un kilomètre du terrier, il avait trouvé un petit étang qui lui en offrait en abondance, et ils s'y rendaient maintenant tous les deux régulièrement. C'est là qu'aussi, se glissant agilement entre les roseaux, il adorait attraper des grenouilles – la seule proie sans difficulté pour lui – qu'il partageait ensuite avec elle. Mais à leur cinquième visite à l'étang, ils firent une rencontre moins innocente que celle des petits batraciens.

Ils avaient quitté la tanière une heure après la tombée de la nuit, mais la pleine lune brodait d'argent la crête des hautes herbes et Ben y voyait nettement jusqu'à une distance considérable. C'était une nuit douce et parfumée, et il était d'humeur à jouer. Sa compagne trottait devant lui en direction de l'étang et il lui tira plusieurs fois la queue. C'était ainsi, habituellement, que commençaient leurs jeux et leurs ébats. Mais cette nuit-là, elle semblait distraite et ignorait ses taquineries, aussi Ben se rendit-il vite compte que quelque chose la préoccupait.

Elle allait, sans ce halètement sifflant qui accompagnait souvent ses déplacements, mais émettait de temps en temps des grognements à voix si basse que même Ben les entendait à peine. À ce comportement inhabituel, il conclut qu'elle-même ne savait pas précisément ce qui l'inquiétait ; de plus elle s'arrêtait fréquemment, le nez au vent. Ce n'est qu'une fois tout près de l'étang que son grondement sourd monta en puissance tandis que ses dents se découvraient, menaçantes, luisantes au clair de lune. À ce moment-là, ils étaient sur le point de quitter les hautes herbes pour traverser une zone à découvert, marécageuse, qui entourait l'étang. Soudain, imitant sa compagne, Ben s'aplatit sur le sol et s'immobilisa, toujours à l'abri du rideau d'herbes. Elle était plus à découvert que lui et il la sentait devant lui tendue, frémissante, et tâcha de voir ce qui l'avait alarmée.

Il n'aperçut le danger que lorsqu'un grondement guttural et profond s'éleva depuis la frange de roseaux qui bordait l'étang. Accroupi, leur faisant face, camouflé par les ombres enchevêtrées que la lune projetait sur son dos, se tenait le grand corniaud gris-jaune, Lobo. Il avait bien évidemment vu la mère blaireau mais apparemment pas le petit garçon caché derrière elle. Tout en grondant il montrait des crocs beaucoup plus grands que ceux d'un blaireau, et Ben sentit un long frisson le parcourir. Il attendait, tendu, tremblant, que Lobo se jette sur sa compagne. À sa grande surprise, ce fut elle qui chargea, déchirant l'air d'un hurlement à faire dresser les cheveux, et en trois bonds fut sur le molosse.

Lobo l'attendait et, à la dernière seconde, il riposta avec toute la fureur dont il était capable. Ils s'empoignèrent, debout, cramponnés l'un à l'autre par leurs griffes et leurs dents, mais le chien, beaucoup plus lourd, eut vite le dessus. Déséquilibrée par cinquante kilos de muscles, la mère blaireau s'écroula en continuant à mordre, à griffer et à hurler sauvagement. Pendant un moment, la lutte fut si intense, si rapide, que Ben ne savait plus qui avait l'avantage. Il sentait ses cheveux se hérisser sur sa nuque dans un mélange de terreur et d'excitation. La scène avait un aspect irréel, primitif et sinistre, qui bouleversait le garçon jusqu'au plus profond de son être.

Abruptement, la mère blaireau se libéra et pivota sur elle-même tout en soulevant sa courte queue pour envoyer en direction du chien un jet de musc délétère. Ce liquide huileux, puant, n'était pas aussi puissant que celui de la mouffette – qui, avec la belette et le putois, appartient à la même famille que le blaireau – mais il était néanmoins terriblement irritant pour les yeux. S'il avait atteint Lobo, celui-ci aurait été temporairement aveuglé, et d'autant plus vulnérable face à l'attaque suivante. Mais la décharge avait manqué de puissance et de précision. Indemne, le molosse revint à la charge, amorçant une courbe pour atteindre son adversaire au flanc. Mais il arriva la tête trop basse et manqua son but : son museau passa sous le ventre du blaireau que, dans son élan, il retourna sur le dos.

Jusqu'à cet instant, les dents du chien n'avaient happé que de la peau lâche protégée par la densité de la fourrure grisonnante, et la mère blaireau avait pu se dégager sans dommages sérieux. Mais dans la fraction de seconde où, basculant, sa gorge fut exposée, Lobo y planta ses crocs. Elle poussa un cri horrible et, tandis qu'il la clouait au sol, elle mit toute son énergie à tenter de l'éventrer de ses quatre pattes frénétiques aux griffes redoutables. De longues traînées noires couvrirent bientôt le ventre et les flancs du grand chien qui continuait à gronder, de douleur maintenant autant que de rage. Mais il maintenait sa prise malgré tout, et accentuait de seconde en seconde la pression de ses longues canines.

Il y eut soudain un autre grondement, suivi d'un glapissement de blaireau furieux, et Ben jaillit de sa cachette, toujours à quatre pattes, pour se jeter sur Lobo. D'une main il agrippa la queue du chien et de l'autre une de ses pattes postérieures. Hasard ou instinct archaïque venu des profondeurs primitives de son cerveau, il lui happa le jarret et, toujours grondant, referma sa mâchoire sur le tendon d'Achille du molosse, mordant avec toute la violence rageuse dont il était capable.

Surpris par cette attaque à revers, Lobo pivota pour faire face à ce nouvel adversaire. Mais le mouvement l'avait déséquilibré et ses mâchoires claquèrent dans le vide, manquant de peu l'épaule de l'enfant pour accrocher la manche de sa chemise qui se fendit du haut en bas. Ben tenait bon et, dans son effort pour lui faire lâcher prise, le chien, pendant un instant fatal, oublia son premier attaquant.

La mère blaireau, de nouveau sur pattes, se catapulta sur le molosse et cette fois, c'est elle qui lui happa la gorge. Ses dents plantées bas sur le cou de l'animal, elle s'arc-bouta des quatre pattes contre lui, toutes griffes dehors, accentuant ainsi la pression exercée par ses mâchoires.

Le grondement de Lobo se changea soudain en hurlement de panique et ses pattes se mirent à fouetter dans tous les sens, sans qu'il arrive à se dégager. Il était trop tard. L'incroyable énergie de la mère blaireau, la férocité combinée de ses mâchoires et de ses griffes puissantes eurent raison du molosse : sa gorge déchirée s'ouvrit et sa grosse veine jugulaire, mise à nu, se rompit l'instant d'après. Immédiatement les trois combattants se retrouvèrent baignés dans le sang qui jaillissait, aspergeant le sol et l'herbe d'une pluie visqueuse.

Les forces de Lobo diminuaient rapidement, mais la mère blaireau attendit, pour desserrer l'étau de ses dents, que le chien se fût écroulé sous elle, inerte. Ben avait déjà lâché prise et il était à demi effondré sur le sol spongieux, choqué par ce qu'il venait de vivre et agité d'un violent tremblement. Elle gémit doucement et s'approcha de lui, frotta son museau contre sa joue puis lui lécha le visage. Il l'entoura de ses bras, enfouit sa tête dans la fourrure de son cou, puis il se mit à pleurer.

Elle se dégagea de ses bras et retourna vers le chien mort en grondant hargneusement. Il la suivit et fit de même. Mais lorsqu'elle commença à s'éloigner, il hésita. Si on trouvait Lobo ici, George Burton ne manquerait pas de revenir, avec ses pièges et ses fusils, pour tenter de détruire les meurtriers de son chien. Alors, malgré les jacassements insistants de sa compagne, il attrapa le chien par les pattes de derrière et, à genoux, le tira au plus profond des grands roseaux qui peuplaient l'étang. Il était dans l'eau jusqu'au ventre lorsqu'il lâcha enfin le corps de l'animal. Sa tête et son arrière-train étaient dans l'eau mais, ses poumons étant pleins d'air, son flanc gauche affleurait encore.

De son petit poing fermé, Ben frappa plusieurs fois le thorax de la bête morte ; un peu d'air s'échappa. Mais le cadavre flottait encore. Ne sachant que faire, Ben se contenta de plier les roseaux tout autour jusqu'à ce qu'ils recouvrent le corps et le dissimulent à peu près. Puis il sortit de l'eau à reculons, en redressant les roseaux qu'il avait écartés sur son passage. Lorsqu'il eut fini, on aurait eu du mal à deviner que quelqu'un s'y était frayé un chemin.

Alors seulement ils retournèrent au terrier, elle devant et lui derrière, en silence. Une fois à l'abri de la chambre souterraine, alors qu'un nouvel orage tonnait au-dehors, l'enfant chercha sous la fourrure de sa compagne les nombreux endroits où les dents de Lobo avaient troué sa peau et il les nettoya en les léchant longuement. Il n'avait lui-même souffert d'aucune blessure.

Ils jeûnèrent cette nuit-là et le jour suivant. Mais le lendemain soir, ils repartirent chasser ensemble et, avant l'aube, ils avaient partagé quatre souris sauteuses, un lemming, une grenouille-léopard et un caneton pilet.

Les jours et les nuits s'écoulèrent sans heurt et cependant, insensiblement, Ben était en train de subir un profond changement. Tandis que leur relation semblait profiter à la mère blaireau, qui avait retrouvé toute son énergie, la santé de Ben commençait à se détériorer. Il était arrivé à la tanière dans la dernière semaine de juin ; à la mi-juillet il était déjà bien installé dans sa nouvelle existence, et quand la pleine lune d'août se mit à décroître, sa métamorphose sauvage était presque complète. Mais à partir de la mi-août, et comme on approchait des derniers jours du mois, il devint de plus en plus léthargique. Il ne lui arrivait plus que rarement de jouer dans l'herbe avec sa compagne et il n'aimait plus la suivre sur de longues distances. Lorsque, après être allée chasser seule une nuit, elle revint à la tanière avant l'aube avec un chien-de-prairie bien gras – le premier depuis le drame du piège, Ben resta là à manger et à dormir plusieurs jours, ne sortant que pour boire et faire ses besoins, n'allant jusqu'à l'étang que lorsque la provision d'eau, dans la vasque, se fut tarie.

Il avait toujours été mince et fluet, mais il était en train de devenir quasi squelettique. Ses yeux brillaient d'une fièvre malsaine et il ne cessait de gémir dans son sommeil. De toute évidence il était gravement malade. À moins qu'un événement ne vienne rapidement changer le cours des choses, Benjamin MacDonald risquait d'être bientôt aussi mort dans la réalité qu'il l'était dans l'esprit de la majorité des habitants de cette région de la Prairie du Manitoba.

11

Bien que la famille MacDonald eût assisté, contre son gré, à la cérémonie en mémoire de Ben qui avait eu lieu à North Corners dix jours après la disparition de l'enfant, ni Esther ni William ne pouvaient se résoudre à croire à la mort de leur plus jeune fils. Et maintenant, deux mois après qu'il se fut évanoui dans la nature, ils refusaient encore d'accepter ce qui était, pour tous, l'évidence.

Esther, pâle, amaigrie, silencieuse, portait les marques

du calvaire émotionnel qu'elle avait subi pendant ces journées, ces semaines, passées presque sans manger ni dormir. William MacDonald avait peut-être l'air encore plus accablé. Dans la semaine suivant la disparition de Ben, il était resté en selle plus de vingt heures par jour. Pendant trois jours et trois nuits il n'était pas rentré à la ferme, descendant au pas la rive ouest de la rivière Rouge jusqu'à son embouchure sur le lac Winnipeg ; il avait alors forcé son cheval à traverser à la nage, pour revenir en explorant l'autre rive. Sans trouver trace du petit.

John aussi était marqué par le chagrin mais, contrairement à ses parents, il était arrivé à la conclusion que son petit frère était mort, conclusion que, jusque-là, il avait gardée pour lui. Bien qu'il continuât les recherches avec autant d'obstination que son père, ce que John espérait trouver ce n'était plus son petit frère vivant, mais plutôt une preuve de sa mort. Car il ne supportait pas l'idée que ses parents passent le reste de leurs jours avec l'espoir insensé, au fond d'eux-mêmes, que quelque part, malgré tout, Ben vivait encore.

Jusqu'au drame, John avait été un adolescent de seize ans tout à fait ordinaire, mais ces deux derniers mois l'avaient lui aussi profondément changé, lui faisant gagner une maturité bien au-dessus de son âge. Le garçon insouciant avait en grande partie cédé la place à un jeune homme réfléchi. Sans se plaindre, il avait pris en charge beaucoup plus que sa part du travail à la ferme. Chaque jour, après avoir terminé ses corvées habituelles, il sellait sa jument Dilly, les dents serrées, et passait de longues heures à chercher encore. Mais maintenant, n'espérant plus apercevoir au loin la silhouette de Ben, il fouillait le sol du regard, au lieu d'inspecter l'horizon, en quête de la moindre trace de son passage. Un jour, il finirait bien par trouver un lambeau de vêtement ou bien, inévitablement – et cette pensée le hantait en permanence – les os de son petit frère.

Sa mère et ses sœurs aussi continuaient à chercher, mais surtout dans les environs immédiats de la maison. Connaissant trop bien la fragilité et le caractère craintif de son dernier-né, Esther s'était persuadée qu'elle le retrouverait dans un rayon de six à huit cents mètres autour de la ferme ; ses recherches, avec l'aide de Coral et de Beth, étaient certainement les plus minutieuses, sinon les plus intensives. Après avoir fouillé tous les bâtiments sans que le moindre doute puisse subsister, pour délimiter le terrain déjà couvert dans les prairies alentour, elle emportait toujours un sac de farine, dont elle jetait une poignée sur la crête des herbes tous les dix mètres environ. Coral se tenait à moins de deux mètres sur sa gauche, et Beth gardait le même écart à la gauche de Coral : toutes trois, marchant de front, décrivaient autour de la ferme une spirale qui allait s'élargissant vers le bas de la colline. Lorsque Coral, fatiguée, commençait à tirer la jambe, Esther la renvoyait à la maison avec Beth et continuait sa ronde méthodique, seule. Mais le résultat était toujours le même : rien. C'était comme si George Burton avait eu raison en disant que Ben s'était envolé, ou bien qu'il avait disparu sous terre, car on n'avait jamais retrouvé la moindre trace de lui au ras du sol. On n'était en effet pas plus avancé en cette fin du mois d'août qu'au premier jour des recherches.

La plus grande difficulté à laquelle tout le monde s'était heurté dès le début, c'était l'impossibilité d'émettre la moindre hypothèse sur la direction que Ben avait prise en partant. Si au moins on en avait eu une idée, on aurait pu concentrer tous les efforts sur un seul secteur. Mais en l'absence de toute indication, on en avait été réduit à essayer d'imaginer ce qui avait pu attirer l'enfant loin de chez lui. Malheureusement, à chaque fois on s'était trompé, sans parler des invraisemblables étendues qu'il fallait quadriller.

On avait d'abord choisi de chercher autour de la rivière, et bien que ce périmètre, de même que les rives elles-mêmes, ait été passé au peigne fin sans résultat, beaucoup de gens pensaient encore, pour des raisons évidentes, que Ben était parti par là. Une deuxième probabilité, dans leur esprit, était la direction de Wolf Creek, ce petit ruisseau qui déroulait ses méandres depuis la forêt en descendant vers le sud-est à travers les collines de la Prairie, et passait à trois kilomètres au nord de Hawk's Hill avant de se jeter dans la rivière Rouge.

Le secteur où les mares et les étangs étaient les plus nombreux se trouvait au nord-ouest de la ferme. C'était une troisième possibilité. Depuis plus d'une semaine, William, et John aussi, rentraient tous les soirs totalement épuisés, la peau maculée et les vêtements trempés, crottés à force d'avoir exploré chaque trou d'eau l'un après l'autre, se frayant un chemin dans la boue à travers les roseaux de chaque mare, de chaque étang.

On était maintenant dans la huitième semaine des recherches, et John était parti vers le sud-ouest de la ferme. Ses yeux le brûlaient à force de scruter le sol entre les hautes herbes qui fouettaient le ventre de sa jument. Au bout d'un certain temps, tout finissait par avoir l'air semblable, comme s'il tournait sans fin et revoyait sans cesse les mêmes endroits ; de l'herbe à bison surtout, avec ici et là une végétation plus clairsemée, de rares cailloux qui avaient refait surface sous l'effet'du gel, l'hiver précédent ; ou, de temps en temps, une étendue de sol relativement nu.

En passant à côté, il faillit ne pas le voir. Pour ses yeux fatigués, ce quelque chose dans l'herbe n'avait été qu'un autre caillou à demi enterré. Mais quatre ou cinq mètres plus loin, son front se plissa soudain et il tira sur les rênes, mit pied à terre et laissa Dilly prendre un peu de repos et brouter en paix, tandis qu'il revenait en arrière d'un pas lourd. Il s'arrêta et, maintenant qu'il avait quasiment le nez dessus, il se demanda avec incrédulité comment il avait pu prendre ça pour un caillou. En étouffant un cri, il tomba à genoux.

Couverte de moisissure pour être restée là si longtemps, mais tout à fait reconnaissable entre deux touffes d'herbes humides, gisait la chaussure droite de Benjamin. John la ramassa presque religieusement et la serra contre son cœur, puis la tint à bout de bras pour la regarder d'un air émerveillé. Après toutes ces heures, ces journées, ces semaines de recherches interminables, un indice, enfin !

Sa première pensée fut de marquer l'endroit et il inspecta impatiemment les alentours. Il n'y avait que de l'herbe, et les collines à l'infini. Il ôta rapidement sa veste légère et la laissa tomber à l'endroit précis où il avait trouvé la chaussure. Puis il retourna auprès de Dilly et tira des fontes de sa selle la carabine dont il était si fier – une 22 long rifle Western à culasse, fabriquée par la Folsom Company de Chicago – qu'il avait reçue en cadeau d'anniversaire au mois de mars précédent.

Il revint près de sa veste avec l'arme et, sans une hésitation, il la souleva à deux mains et planta le canon profondément dans le sol meuble ; la crosse dépassait encore largement la crête des herbes et il y suspendit sa veste, nouant ensemble les deux manches pour que le vent ne l'emporte pas. Ce repère improvisé se verrait de très loin. Alors, sans remonter sur son cheval, il se remit à chercher, les yeux rivés au sol, en décrivant des cercles concentriques de plus en plus larges. En moins de vingt minutes il trouva la chaussure gauche, mieux cachée que la première, à douze ou quinze mètres du point où flottait maintenant sa veste. Au sommet d'un buisson qui poussait tout près, il attacha son grand mouchoir.

Puis, jetant un coup d'œil au ciel sans nuages, il vit qu'il restait une bonne heure avant midi. Il regrettait maintenant de n'avoir pas tiré en l'air avant de planter sa carabine dans le sol, mais c'était trop tard ; la terre dans le canon risquait d'abîmer l'arme définitivement. Son père et lui s'étaient mis d'accord pour tirer trois coups de feu au cas où ils trouveraient quoi que ce soit. Il haussa les épaules, ce n'était pas si grave après tout, vu ce qu'ils étaient convenus le matin même, après le petit déjeuner. Tandis que John obliquerait vers le sud-ouest, son père irait plein ouest explorer encore une fois ce secteur, et vers midi, ils tourneraient bride pour se retrouver à mi-chemin. William était trop loin pour que John puisse l'apercevoir, mais il était sûr que son père ne manquerait pas d'apparaître à l'horizon dans une heure ou deux. Entre-temps, il fallait continuer à chercher.

Il revint vers sa jument, se remit en selle et resta là un moment à se demander comment il allait s'y prendre. Entre la veste sur la carabine et le mouchoir sur le buisson, on pouvait tirer une ligne droite est-ouest qu'en toute probabilité Ben avait dû suivre. Le problème était de savoir dans quelle direction. Vers l'est, ou vers l'ouest ? Comment deviner ? À cet endroit le terrain montait légèrement vers l'est et John, imaginant Ben en train de courir dans la pente, tourna son cheval vers l'ouest. Il maintint Dilly au pas, suivant en zigzaguant la piste supposée de Ben. De temps en temps il levait les yeux pour regarder devant lui, mais le seul accident de terrain sur la houle ondoyante de l'herbe à bison était un affleurement de rochers bas, qui se trouvait encore à une centaine de mètres plus loin. Tout à fait le genre de chose, se dit-il, qui aurait pu attirer Ben, et il continua d'avancer dans cette direction.

Soudain, dans un vacarme d'ailes, avec un caquètement de panique, une gélinotte à queue fine surgit des herbes devant le cheval et décolla comme un boulet. Dilly se cabra en hennissant, mais John resta en selle et réussit à la calmer. Cependant, ces bruits et ces cris intempestifs avaient, de toute évidence, effrayé quelqu'un d'autre. Tout en luttant pour ne pas être vidé de sa selle et pour reprendre le contrôle de sa jument, John devina du coin de l'œil un mouvement, loin devant lui et, se retournant alors, aperçut une forme sombre qui se coulait à toute vitesse entre les herbes. La jument avait fait un tour complet et, lorsqu'il put à nouveau regarder devant lui, il lui sembla bien voir l'ombre disparaître près du tas de rochers.

Il secoua la tête, intrigué. Un blaireau ou un carcajou, se dit-il d'abord, mais il rejeta bientôt les deux hypothèses, bien qu'il ne sût pas trop pourquoi, sinon qu'elles ne le satisfaisaient ni l'une ni l'autre. Alors, ours noir, loup, coyote ? Non, car ces trois-là, dans cette situation, auraient continué à courir. Le sourcil froncé, il pressa les flancs de sa monture et ne s'arrêta qu'à une quinzaine de mètres des rochers, mit pied à terre et laissa pendre les rênes du cheval. Il regrettait soudain de ne plus avoir sa carabine et sa main se porta mécaniquement à sa hanche droite. Le contact de son couteau de chasse, lourde lame dans le fourreau de cuir, le rassura un peu ; mais il aurait préféré la carabine. Un fouet de cuir brut, long de trois mètres, était fixé sur la housse de la carabine et il songea à le prendre, puis y renonça.

Il s'avança silencieusement, examinant le sol avec soin. Il se retrouva pourtant devant le large trou avant même de l'avoir aperçu. Il n'y avait aucun signe de vie alentour, mais il était convaincu que la bête, si c'était une bête, s'était réfugiée dans ce terrier. Le tunnel descendait en oblique à côté d'un rocher plat qui formait une petite vasque naturelle où stagnait un reste d'eau de pluie.

Après avoir noté la direction dans laquelle s'enfonçait le tunnel, John en fit le tour sans bruit et se posta à cinq ou six mètres derrière. Il s'accroupit dans l'herbe et attendit en silence. Il essayait encore de deviner quelle sorte d'animal il avait entrevu tout en se demandant pourquoi il gâchait son temps à l'affût alors qu'il aurait dû continuer à chercher d'autres traces de Ben. Il n'en avait pas la moindre idée, et pourtant il n'arrivait pas à se décider à repartir.

Au bout d'une demi-heure, quand même, l'impatience commença à le gagner. S'était-il trompé ? La bête ne s'était peut-être pas réfugiée dans ce trou. Elle aurait pu continuer à courir, masquée par le tas de rochers, sans qu'il la voie s'enfuir. Il doutait de plus en plus de trouver là quoi que ce soit, lorsqu'il se raidit soudain : quelque chose venait de bouger, à peine, juste au bord du trou.

Petit à petit, la chose émergeait, tandis que les yeux

de John s'arrondissaient et que sa bouche béait d'étonnement : c'était une tête humaine ! Il la voyait en entier maintenant, mais le visage était tourné de l'autre côté ; et puis les bras apparurent, hissant un torse hors du trou. La tête pivotait lentement au-dessus des herbes et bientôt John la vit de profil et cligna des yeux, totalement incrédule.

C'était Ben !

Les cheveux de l'enfant étaient en broussaille, la boue qui les collait en plaques barbouillait aussi son visage, et ses lèvres étaient craquelées, mais il n'y avait pas le moindre doute : c'était Ben. Le petit garçon, découvert maintenant jusqu'à la ceinture, venait d'apercevoir le cheval et semblait sur le point de replonger dans le trou. Encore abasourdi, John bondit et se rua vers lui.

« Ben ! Ben ! C'est moi, John ! »

L'enfant eut un bref regard effarouché, puis il disparut. Une seconde plus tard John était à genoux devant le trou, la tête penchée sur l'ouverture, et il appelait son petit frère.

« Ben ! Tu ne me reconnais donc pas ? C'est moi, John, ton frère. Tu peux sortir, tu ne crains plus rien. Personne ne te fera de mal, Ben. N'aie pas peur. »

Du tréfonds du terrier monta une rafale de grondements hargneux et rageurs. Peu rassuré, John fit la grimace, tira son couteau de chasse et entreprit d'élargir le trou, tout en dégageant la terre de sa main libre. Il avait à peine réussi à passer ses épaules dans l'ouverture lorsque soudain Ben apparut au fond du boyau, grondant et crachant comme un chat furieux, remontant vers lui à une vitesse surprenante, toutes griffes dehors.

Le jeune homme attrapa un des poignets maigres de l'enfant et, basculant en arrière, le tira hors du trou. À découvert maintenant, Ben attaqua pour de bon, se jetant sur lui ; cherchant à le lacérer de ses ongles – ceux de ses pieds étaient très longs –, de sa main droite, il tentait de lui labourer le visage ; il planta ses dents jusqu'au sang dans la main qui lui paralysait le poignet, mais John tint bon.

« Ben ! criait-il. Pour l'amour du ciel, Ben, arrête ! c'est moi, John. Arrête ! »

Mais ses paroles n'avaient aucun effet et le petit garçon continuait à se battre sauvagement. John réussit à lui bloquer les deux poignets dans le dos en le plaquant d'un bras contre lui, tandis que de l'autre il rengainait son grand couteau, devenu encombrant et dangereux. Et c'est ainsi, le soulevant de terre, qu'il emporta le petit vers la jument qui, l'œil fixé sur eux, commençait à s'agiter. Mais John avait à peine fait dix mètres qu'un autre grondement le fit pivoter en arrière et son visage pâlit. Un énorme blaireau venait de sortir du terrier et chargeait dans sa direction avec une furie meurtrière sans équivoque.

Il se mit à courir avec son précieux fardeau, tout en remerciant silencieusement le Ciel de la loyauté de Dilly qui, tout effrayée qu'elle fût, restait là à l'attendre, malgré les cris furieux de l'enfant qui continuait à se débattre et les grondements féroces du blaireau qui se rapprochait. John atteignit le cheval avec à peine quatre mètres d'avance, arracha le fouet de sa main libre et fit claquer la longue lanière en direction de la bête. Le coup manquait de force – John n'avait pas eu le temps de prendre de l'élan – mais il était pourtant bien ajusté : le cuir cingla douloureusement le museau de la bête, s'emmêla dans ses pattes de devant, et la fit chuter sur le flanc.

Avant qu'elle ait retrouvé son équilibre et repris sa charge aveugle, John avait bondi en selle avec Ben toujours plaqué contre lui, récupéré les rênes et talonné la jument qui prit le galop. Toujours grondant et glapissant de rage, la mère blaireau les suivit un moment, mais fut rapidement distancée.

En plus de sa main mordue, John avait une des manches de sa chemise déchirée et son bras saignait à l'endroit où les dents de l'enfant l'avaient happé brièvement tandis qu'il sautait en selle ; mais maintenant le petit semblait avoir épuisé sa fureur et il se laissait aller contre lui, presque comme un poids mort. La jument était toujours au galop lorsqu'il aperçut, dans le lointain, un cavalier qui arrivait du nord-ouest ; immédiatement, il obliqua dans sa direction.

À cette distance, William MacDonald ne distinguait pas les détails, mais il savait bien que ce ne pouvait être que John. Par ailleurs, le fait que le cheval arrive au grand galop ne pouvait signifier qu'une chose : il y avait du nouveau, et c'était important. Alors, talonnant sa propre monture, il se lança à la rencontre de son fils aîné.

Tout excité, John se mit à hurler alors qu'il était encore à trois cents mètres de son père.

« Papa ! Papa, c'est Ben ! J'ai retrouvé Ben ! Je l'ai avec moi, là. Papa ! Il est vivant ! Ben est vivant ! »

Il ne cessa de crier que pour freiner son cheval lorsqu'ils se furent rejoints.

William MacDonald était bouleversé. Les larmes, sans honte, roulaient sur ses joues et il ne savait que répéter d'une voix brisée par l'émotion : « Mon Dieu merci, merci, mon Dieu merci, merci... »

Il manœuvra Dover pour l'amener à côté de la jument de John et tendit les bras pour saisir l'enfant, mais celui-ci fit volte-face et, montrant les dents, poussa un grondement sauvage en direction de son père ; puis il se retourna et enfouit son visage dans la chemise de son grand frère, tandis que ses petits bras maigres l'agrippaient avec une force et une détermination surprenantes. On entendait encore ses grondements étouffés et John jeta à son père un regard impuissant.

Une nouvelle vague d'émotion submergea ce dernier. Il courba la tête et ses épaules furent secouées de sanglots qu'il étouffait à grand-peine. John n'avait jamais vu son père pleurer, pas même lors de la disparition de Ben, ni lors du service religieux célébré à sa mémoire. Encore plus que la joie d'avoir retrouvé le petit, les sanglots de son père lui nouaient la gorge et il eut bientôt les joues inondées de larmes.

Au bout d'un moment, la tête toujours courbée, William MacDonald joignit les mains sur le pommeau de sa selle et se mit à prier avec des mots simples, entrecoupés de spasmes déchirants.

« Seigneur Dieu... merci de... d'avoir veillé sur notre Ben... et merci... de nous l'avoir rendu. »

Ce n'est qu'au bout d'une minute ou deux qu'il releva enfin la tête, et s'essuya le nez sur le dos de sa main. Lorsque John croisa son regard, il y vit un sourire qui lui fit à nouveau monter les larmes aux yeux. Le père posa alors sa grande main sur l'épaule de son aîné qu'il serra fort, longtemps, et cela valait tous les discours du monde.

« Allons-y, fiston, dit-il ensuite. Ramenons notre Benjamin à sa mère. »

12

L'émotion ne fut pas moins grande lorsque le père et ses deux fils rejoignirent la ferme de Hawk's Hill. Coral fut la première à les voir arriver et elle resta là un instant, paralysée de surprise. Puis la joie prit le dessus et elle se mit à crier : « Maman ! Maman ! » Elle rentra dans la maison en coup de vent tout en hurlant de sa voix perçante : « C'est Ben, Maman, ils l'ont trouvé ! C'est Ben, il est vivant ! »

Elle ressortit en courant, sa mère et Beth sur les talons.

Elles s'arrêtèrent au milieu de la cour, toutes les trois en larmes, et attendirent que les chevaux couverts d'écume viennent s'immobiliser devant elles. Esther, tout en murmurant le nom de son petit dernier, tendit les bras pour que John le lui confie. Mais l'enfant s'accrocha encore plus fort à son aîné.

« Il ne faut pas le brusquer, dit William d'une voix douce. Laisse John le descendre tout seul. Il va bien. Mais il... il a peur. »

Elle porta sa main à sa bouche et recula d'un pas, en proie soudain à une angoisse inexplicable. Se rendant compte qu'il tenait toujours le manche du long fouet serré dans sa main droite, John le laissa tomber sur le sol. Son père mit pied à terre, prit les rênes de Dilly, puis l'aida à descendre avec l'enfant toujours agrippé à lui. Ensuite, MacDonald mena les chevaux à la barrière et y noua leurs rênes. Quand il revint, John avait réussi à déposer Ben sur le sol et à se dégager de ses bras. L'enfant s'accroupit et recula un peu, en grondant faiblement, comme un animal sauvage aux abois.

Coral et Beth, à l'unisson, étouffèrent un cri tandis qu'Esther poussait un gémissement de douleur. L'enfant était dans un état épouvantable. Ses cheveux hirsutes, longs et crasseux, accentuaient l'air farouche et fiévreux de son regard. Sa chemise n'était plus qu'une guenille et son pantalon ne valait pas mieux, avec une jambe arrachée au genou et l'autre en lambeaux. Il était pieds nus et sa peau – visage, cou, bras, pieds et jambes, et même son torse – était maculée de crasse et de boue séchée. Ses bras et ses jambes étaient remplis d'égratignures, certaines récentes, d'autres recouvertes de croûtes plus ou moins saines, et il avait la bouche crevassée de vilaines gerçures. Il était effroyablement maigre, encore plus qu'avant, et il semblait fort mal en point. Il jetait à droite et à gauche des regards en dessous, comme s'il cherchait par où s'enfuir.

« Oh, Ben, Ben... », soupira Esther en s'approchant pour le prendre, mais il eut un mouvement de recul et lui montra les dents en crachant comme un chat, un grondement sauvage du fond de la gorge. Elle eut un sursaut, s'arrêta puis regarda son mari avec un air douloureux.

« Laisse-moi faire, Maman. »

John se pencha vers l'enfant et lui tendit les bras. Le petit se remit à gronder, mais John s'approcha encore. Toujours accroupi, Ben considéra les mains l'une après l'autre et, pour la première fois, regarda John droit dans les yeux. Alors il cessa de gronder et s'approcha à son tour. Très doucement, John lui posa une main sur l'épaule, puis il glissa son bras autour de la taille du petit garçon.

« Viens, Ben, souffla-t-il. C'est fini. On est chez nous maintenant. Viens, on rentre. »

Il prit son petit frère dans ses bras et Ben s'accrocha à lui, enfouissant à nouveau son visage dans la chemise du grand.

« Je... je ne comprends pas, murmura Esther tandis qu'avec William et ses filles elle suivait John dans la maison. Je... comment... comment a-t-il pu survivre si long-temps, là-bas ? »

Son mari se contenta de hausser les épaules. Il n'en savait rien non plus. Tout cela paraissait impossible.

John porta son petit frère et le posa debout au milieu de la pièce. Lorsqu'il se dégagea des bras de Ben pour faire un pas en arrière, il y eut encore dans les yeux du petit ce regard farouche de bête prise au piège. Il jetait des coups d'œil rapides aux tables, aux chaises, à la che-minée dont la hotte portait une carabine et des sabres croisés. Il regardait les lampes, les coussins, les images au mur et puis, un par un, il dévisagea ceux qui se tenaient dans la pièce. Ses narines se dilatèrent tandis qu'il humait les odeurs autrefois familières : le pain qu'on venait de sortir du four et le lait chaud, la viande en train de cuire et les épices.

Son air farouche se dissipa et il plissa le front. Sa bouche s'ouvrit, se referma, s'ouvrit de nouveau. Un ins-tant encore il resta là, debout, et puis, comme si l'on avait brusquement allumé une lampe dans sa nuit, tout sem-bla s'éclairer pour lui d'un seul coup. Son visage s'adou-cit, puis sa bouche se fronça en une moue de bébé et il éclata en sanglots. Alors, en trébuchant, il se précipita vers Esther en criant : « Maman... Maman... Maman... »

Elle le reçut dans ses bras ouverts, le souleva en le ser-rant sur son cœur et se mit à le bercer en murmurant à son oreille, en le couvrant de baisers, et ses larmes fai-saient des rigoles claires sur la peau encrassée de l'enfant. Ben s'accrochait à sa mère avec une sorte de désespoir, ses pleurs mêlés aux siens, et ne tentait plus d'échapper aux autres qui s'agglutinaient autour de lui, tendaient leurs mains pour le toucher, esquissaient des caresses, des sourires... et pleuraient.

C'est William MacDonald qui se fit l'interprète de tous lorsque, soulevant le menton du petit avec deux doigts, il planta sur sa joue barbouillée un baiser en disant : « Bienvenue, Ben. Bienvenue à la maison, mon fils. »

Mais les émotions de la journée étaient encore loin de leur terme. La famille avait à peine retrouvé son calme et John était en train de raconter comment il avait, près du terrier, tenu le blaireau à distance avec son fouet, lorsque à la porte d'entrée retentit un nouveau grondement furieux. Haletant après sa longue course, le cou hérissé, les babines retroussées sur ses dents puissantes, la mère blaireau, ramassée sur le pas de la porte, les regardait fixement, prête à bondir.

John et son père s'écrièrent : « Attention ! » d'une même voix. Les filles reculèrent en poussant des cris perçants. Sans perdre une seconde, MacDonald atteignit la cheminée et décrocha la lourde carabine à répétition – une Henry – de son râtelier. Ben se mit à hurler. À l'instant même où son père mettait en joue, il se dégagea de l'étreinte d'Esther et, tout en émettant un jacassement bizarre, il courut vers la bête et lui entoura le cou de ses bras, lui faisant un bouclier de son corps. La grosse mère blaireau lui lécha la joue tout en continuant à gronder, les yeux fixés sur le reste de la famille. MacDonald tenait toujours son arme braquée, prêt à tirer dès que Ben ne ferait plus obstacle, quand Esther fit un pas vers lui et, d'un geste doux mais ferme, releva le canon de la carabine.

« Non, Will, dit-elle. Je n'y comprends rien, mais regarde-les. Ils sont amis ces deux-là. On ne sait pas lequel des deux essaye de protéger l'autre. »

Ben continuait d'émettre à voix basse un jacassement ininterrompu, un bras autour de la bête, la caressant de sa main libre, puis il posa sa tête au creux de son cou. La mère blaireau haletait toujours, la respiration sifflante, et continuait à gronder en sourdine, mais elle s'était considérablement calmée, même si de toute évidence la présence d'êtres humains la rendait encore extrêmement nerveuse.

MacDonald hochait la tête d'un air incrédule et John murmura comme pour lui-même : « Qui aurait pu croire ça ? »

*
* *

Ce fut le début d'une période pleine de difficultés inattendues, mais petit à petit la mère blaireau devint un membre à part entière de la famille MacDonald. Elle ne permettait à personne d'autre que Ben de la toucher, mais avec lui elle était d'une douceur étonnante. Ils étaient constamment tous les deux ensemble et Ben refusait même de coucher dans son lit, préférant se lover par terre avec elle sur le plancher de sa chambre où il partageait la vieille couverture qu'on avait installée pour elle, et dormait un bras passé autour d'elle comme naguère dans le terrier.

Maintenant c'était Ben, décrassé, soigné et récupérant vite grâce aux soins de sa mère, qui s'occupait de sa compagne sauvage, la nourrissait et la protégeait comme elle l'avait fait pour lui. On laissait toujours la porte ouverte pour qu'elle puisse aller et venir à son gré, mais elle ne quittait jamais Ben et ne mangeait que ce qu'il lui donnait. Au début, elle montrait les dents chaque fois que quelqu'un s'approchait de lui, mais il la réprimandait en jacassant fermement et, dès le troisième jour, elle sembla comprendre que les autres ne voulaient pas de mal au petit garçon, et cessa alors de se hérisser en leur présence.

Le reste de la famille s'était rapidement mis d'accord pour laisser faire le temps, quoi qu'il advienne. Esther ne cessait de se dire que, si un malheur arrivait à la bête, c'est Ben qui en souffrirait. Un soir, tard, après que toute la maisonnée fut endormie, elle confia à son mari :

« Je ne sais pas comment tout ça va se terminer, Will. Je n'en ai vraiment aucune idée. Tout ce que je sais, c'est que nous avons retrouvé Ben et que cela vaut tous les sacrifices. S'il veut la garder auprès de lui jusqu'à ce qu'elle meure de vieillesse, nous le laisserons faire. Oh, William, on voit bien qu'il est attaché à cette bête et il faut accepter que ces deux-là partagent quelque chose que nous ne comprenons pas. Nous devons les aider, en tout cas. »

Pendant une semaine, Ben mena une double vie, tantôt courant à quatre pattes, grondant, crachant, jacassant et culbutant avec la mère blaireau du haut en bas du tas de terre près du nouveau puits pendant des heures et puis, à d'autres moments, se comportant avec sa famille comme n'importe quel petit garçon de son âge. Le plus étonnant, d'ailleurs, c'est que maintenant il leur parlait, à tous, comme jamais auparavant, et de toute évidence il prenait grand plaisir à voir qu'on l'écoutait bouche bée. Car pour la première fois de sa vie Ben avait des choses importantes à raconter, des choses dont les autres étaient soudain curieux. Ce qu'ils voulaient savoir, surtout, c'était bien sûr ce qui lui était arrivé après sa disparition.

Et il leur racontait tout ; pas de façon parfaitement chronologique sans doute, car tous ces souvenirs se bousculaient dans sa mémoire, mais il leur livrait en vrac les épisodes de son histoire : comment il s'était perdu, l'orage, et comment il avait trouvé refuge dans le terrier, sa rencontre avec la bête – et aussi la toute première fois dont il ne leur avait jamais vraiment parlé, cette première caresse à la bête sauvage, peu de temps avant sa disparition – et puis comment elle l'avait adopté et nourri.

Il fut ravi de leur ébahissement lorsqu'il raconta qu'il lui avait soigné sa patte mutilée en la léchant, qu'elle lui avait offert son lait à téter et, après son refus, qu'elle lui avait apporté des œufs de poule sauvage et d'autres proies qu'elle avait capturées pour lui. Ils réussirent à dissimuler leur dégoût au récit des choses qu'il avait mangées. Et lorsqu'il expliqua où il s'était caché, le premier matin après l'orage, à la vue de George Burton, ignorant que celui-ci faisait partie des gens envoyés à sa recherche, ils comprirent mieux pourquoi personne n'avait jamais vu trace de lui, puisqu'il disparaissait chaque fois qu'il apercevait un cavalier. Cela expliquait aussi sa fuite à l'arrivée de John et pourquoi il l'avait attaqué et s'était tant débattu.

Ce qui peut-être les étonna le plus fut son récit de la mort de Lobo et ils en vinrent à se demander s'il n'inventait pas de toutes pièces la moitié de ce qu'il leur racontait. Comment en effet ce petit bonhomme, fluet, timide et renfermé, avait-il pu attaquer – à coups de dents ! – un animal aussi effrayant que le grand chien gris-jaune ? Qu'il ait pu, même aidé de cette mère blaireau, réussir à le tuer paraissait totalement invraisemblable. Mais lorsque John retourna chercher sa carabine toujours plantée dans le sol, il resta absent longtemps. Il revint trempé, les bottes pleines de vase. Il prit ses parents à part et leur raconta à mi-voix, encore stupéfait, qu'il avait trouvé l'étang où, selon Ben, le combat s'était déroulé : en fouillant dans les roseaux, il avait découvert le corps en décomposition du molosse à l'endroit précis indiqué par Ben.

« Je l'ai inspecté sur toutes les coutures, conclut John en baissant encore la voix. C'était à peine croyable. Le chien avait la gorge ouverte, déchirée, en lambeaux. Et j'ai examiné sa patte arrière ; elle porte la trace d'une morsure profonde, juste sur le tendon. »

Après cela, plus personne ne douta de ce que racontait Ben.

À mesure qu'il reprenait et développait ses récits, toute la famille était impressionnée par l'étendue de son vocabulaire, lui qui autrefois ne s'exprimait guère que par monosyllabes. Il était maintenant évident que si, avant son aventure, il n'avait jamais beaucoup parlé, il avait en revanche écouté et retenu beaucoup plus de choses qu'on ne l'imaginait au milieu des conversations familiales. Et bien qu'à son retour il eût pesé sensiblement moins lourd qu'avant, il avait, à ses propres yeux autant qu'à ceux des siens, acquis un poids inattendu. Il en était fier et parfaitement conscient.

« Avant, dit-il un jour très sérieusement, j'étais tout petit et tout le monde était très grand. C'était comme si tout le monde, même Coral et Beth, savait plus de choses que moi. Alors c'était pas la peine que je parle, comme tout le monde savait déjà tout. Mais maintenant je sais plein de choses que *personne* ne connaît, non ? »

C'était bien vrai, et au fur et à mesure que ses parents reconstituaient le puzzle de son histoire, les choses qui lui étaient arrivées paraissaient d'autant plus incroyables. Et ils se rendaient compte que, malheureusement, si son aventure venait à s'ébruiter, Ben ne pourrait jamais avoir une enfance normale. Il deviendrait pour tout le monde un objet de curiosité, une bête de cirque, un monstre qu'on affublerait de surnoms, « petit blaireau » ou pire encore. Il devait bientôt entrer à l'école, où il deviendrait la cible des sarcasmes et, desservi par sa petite taille, ne s'adapterait pas à la vie de la communauté locale.

Ce dilemme fut résolu d'une façon qu'Esther qualifia de providentielle. Le sixième jour après le retour de l'enfant – à ce moment-là tous les membres de la famille MacDonald connaissaient la quasi-totalité de l'histoire de Ben par cœur –, deux visiteurs arrivèrent à Hawk's Hill dans la soirée. L'un était le docteur Richard M. Simpson, que tout le monde appelait Doc Simpson ; il avait participé à la première journée de recherches puis, après une courte absence, était revenu aider les MacDonald. L'autre était l'archevêque Peter Matheson de Winnipeg, qui était en visite chez son ami le docteur, à North Corners.

Doc Simpson lui avait donné des détails sur la disparition du petit garçon, dont l'archevêque avait vaguement entendu parler à Winnipeg. Comme son ami habitait tout près du lieu de résidence des MacDonald, l'homme d'Église lui avait demandé d'atteler le buggy pour qu'il puisse aller rendre visite à cette famille durement éprouvée par la perte de leur enfant, espérant peut-être leur apporter un peu de réconfort.

C'est ainsi qu'ils arrivèrent à la ferme, et furent quelque peu ébahis de découvrir que Ben était là, et bien vivant. On leur raconta toute l'histoire en détail, en insistant sur l'embarras où l'on se trouverait si les circonstances de la survie du petit s'ébruitaient. L'archevêque resta un moment silencieux, se frottant le menton d'un air pensif, puis il s'éclaircit la voix.

« Je n'hésiterai pas un instant à dire que nous avons là une manifestation de la miséricorde de Dieu. Cette aventure extraordinaire et le changement dont vous témoignez chez l'enfant depuis son retour portent la marque de la divine Providence. Je crois même qu'on pourrait parler ici d'un miracle mineur... et d'ailleurs, peut-être pas si mineur après tout. Qu'en pensez-vous, Richard ? »

Doc Simpson hocha la tête, ôta sa pipe d'entre ses dents et dit :

« Je suis tout à fait d'accord avec vous. Très franchement, si on m'avait raconté ça, j'aurais cru à une fable, mais... » Il pointa le tuyau de sa pipe vers la chambre où Ben et la mère blaireau dormaient l'un contre l'autre. « Je n'ai pas besoin de préciser que je suis convaincu. »

Et c'est donc sous la forme d'un miracle que la nouvelle du retour de Ben se répandit à travers le Manitoba.

Dans leur grande majorité, les gens respectèrent le souhait exprimé par les MacDonald que l'on ne fasse pas de tintamarre autour de l'enfant prodigue. Les voisins, sincèrement heureux pour sa famille qu'on l'ait enfin retrouvé, louaient cette décision, car bon nombre d'entre eux se sentaient quelque peu gênés, maintenant, d'avoir abandonné les recherches trop vite, apparemment. Certains vinrent quand même, par courtoisie et pour offrir leurs congratulations, mais en fait surtout pour voir le petit garçon qui avait connu une si extraordinaire aventure.

Quant à Ben, sa timidité reprenait le dessus en présence d'étrangers et, hors du cercle familial, il s'exprimait peu et avec beaucoup de réticence. Cependant, à la surprise de ses parents, à leur grand plaisir même, il serrait gravement la main des visiteurs, même s'il ne leur disait pas grand-chose. Ils furent encore plus ravis lorsqu'il se mit à parler avec enthousiasme de la rentrée prochaine (il restait moins d'une semaine de vacances), et tous les doutes qui les avaient naguère assaillis à ce sujet s'évanouirent. De toute évidence, Ben était maintenant prêt pour l'école.

Restait un problème majeur : la mère blaireau. Ben avait décidé qu'il l'emmènerait tous les jours avec lui en classe, et rien ne l'en faisait démordre. Avait-on d'ailleurs le choix ? Rien n'était moins sûr, car elle continuait à suivre le garçon partout. Dans ces conditions, il semblait hélas qu'on allât rapidement au-devant d'une nouvelle crise, dont personne pour l'instant n'entrevoyait la solution. C'est alors qu'un autre visiteur se présenta à Hawk's Hill.

Il s'appelait George Burton.

13

L'air était vif et le soleil levant, radieux, promettait une journée magnifique en ce premier samedi de septembre, lorsque George Burton emprunta la pente légère qui menait au sommet de Hawk's Hill et à la ferme des Mac-Donald. Il tenait sa carabine à plat devant lui ainsi qu'il s'était mis à le faire depuis que Lobo avait disparu. Par la suite, on imagina qu'il voulait savoir si quelqu'un – et en particulier Ben, évidemment – savait quoi que ce soit sur la disparition de son chien. Mais ce n'était là que spéculations, car en fait personne ne sut jamais pourquoi il était venu.

Les premières corvées du matin, commencées à l'aube, étaient terminées : la vache avait été traite et mise à paître, les litières des chevaux avaient été renouvelées, et les autres animaux avaient reçu nourriture et soins habituels. Toute la maisonnée y avait participé, même Ben et les filles – Beth et Coral versant aux volailles leur ration de grain et d'eau avant de passer la main dans les nids au cas où il y aurait quelques œufs matinaux ; Ben trimballant des seaux d'eau du nouveau puits à l'abreuvoir de la bergerie.

Comme elle avait pris l'habitude de le faire récemment, dame Blaireau s'était étendue de tout son long au sommet du tas de terre, près du puits. Elle paraissait apprécier la brise légère qui rebroussait à peine ses longs poils tandis qu'elle suivait d'un regard paresseux les allées et venues de Ben. Et lorsque Esther avait sonné l'heure du petit déjeuner sur le triangle, toute la famille s'était retrouvée dans la maison, mais la mère blaireau était restée sur son monticule, à somnoler. Les premiers rayons du soleil l'enveloppaient d'une torpeur agréable.

Elle s'était accoutumée à l'infinie variété des bruits de la ferme : le bêlement des moutons, le hennissement des chevaux et le piétinement lourd de leurs sabots sur le sol, le tintement du métal, le carillon de l'enclume, le choc mat des bûches qu'on empile, le grincement du cuir des harnais ; elle n'était plus aussi méfiante ni sans cesse en alerte comme à ses premiers jours à Hawk's Hill. C'est pourquoi, tout d'abord, elle accorda peu d'attention au pas de ce cheval qui approchait, ne tendant qu'une oreille distraite sans ouvrir les yeux. Mais comme il approchait toujours, elle finit par jeter un coup d'œil et fut aussitôt sur le qui-vive.

Le cheval n'était qu'à une trentaine de mètres et tournait pour entrer dans la cour, un grand cavalier barbu sur le dos. L'homme ne la vit qu'une fraction de seconde avant qu'elle ne l'aperçoive, et tous deux réagirent instantanément. Elle plongea au bas de son perchoir tandis que Burton épaulait et tirait à la volée. La balle l'effleura avec assez de force pour l'envoyer bouler au moment même où elle atteignait le pied du monticule.

Avec un grondement de rage, elle se remit sur pied et fila ventre à terre pour aller se réfugier dans l'ombre de la véranda. En vain. La deuxième balle lui troua le flanc et la projeta contre le bas du mur. Elle rebondit une fois, roula sur le dos et ne bougea plus.

Tout cela fut si rapide, si inattendu, que tous les Mac-Donald, debout au premier coup de feu, n'avaient pas encore atteint la porte quand éclata le second. John fut le premier dehors mais il stoppa si brusquement que son père le heurta et faillit le culbuter. Ben, qui les suivait, tendit le cou en direction du puits. Il aperçut immédiatement la boule de fourrure gisant au coin de la maison.

Il poussa un cri déchirant, sauta au bas de la véranda et se précipita vers elle en hurlant à chaque pas : « Non... non... non... »

MacDonald l'avait aperçue et se mit lui aussi à courir,

mais en direction de Burton, qui était toujours en selle, très fier apparemment de ses talents de tireur. Mais lorsqu'il vit le visage du fermier, le sourire de l'énorme barbu s'effaça. Son cheval broncha un peu à l'approche de MacDonald, qui saisit la bride de sa main gauche et fixa le trappeur d'un œil terrible.

« Imbécile ! hurla-t-il. Donnez-moi ce fusil ! »

Bien que surpris, Burton réagit sans tarder. Il souleva son arme mais, au lieu de la tendre, il la pointa délibérément sur la poitrine du fermier.

« Je sais pas quelle mouche vous pique, MacDonald, dit-il d'une voix menaçante, mais c'est pas vous ni personne qui va me prendre mon fusil. Reculez, d'abord. »

MacDonald fit un pas de côté, attrapa le canon de l'arme de sa main libre tandis que de l'autre, lâchant la bride, il giflait le cou du cheval. L'animal, effrayé, se cabra aussitôt. Burton, agrippé à son arme, fut désarçonné. Un coup de feu accompagna sa chute.

Esther se mit à hurler et John, toujours paralysé devant la porte, s'écria : « Papa ! » Ben, assis par terre au coin de la maison, tenait la tête de la mère blaireau sur ses genoux et sanglotait en regardant s'affronter les deux hommes.

La balle laboura le flanc gauche de MacDonald, qui tituba sous le choc, mais sans lâcher sa prise sur le canon de la carabine. Burton heurta lourdement le sol et, un instant étourdi, laissa le fermier lui arracher l'arme. La tenant toujours par le canon, celui-ci se dirigea vers une grosse charrue garée tout près puis, élevant la carabine au-dessus de sa tête, il la fracassa sur une des grandes roues de fer. Elle se brisa en deux et la crosse amputée du canon rebondit en l'air avant de retomber derrière une roue.

« *William !* »

Au cri d'Esther il se retourna, le canon de la carabine toujours à la main. Burton arrivait sur lui, le poing fermé sur le manche d'os de son couteau de chasse dont la lame scintillait cruellement. Instinctivement, MacDonald balança l'arme tronquée qu'il serrait encore vers le bras de Burton, le manqua mais accrocha au passage la lame du couteau qui se trouva projeté, tournoyant, à trois ou quatre mètres. MacDonald, emporté par son élan, trébucha et, avant qu'il puisse retrouver son équilibre, Burton lui allongea un coup de poing violent au coin du front. Étourdi, MacDonald tituba en arrière, heurta la roue de la charrue et s'écroula.

Burton alla ramasser son couteau, puis fit aussitôt volte-face. Le fermier, dont la chemise s'auréolait maintenant d'une tache sombre, essayait de se remettre sur ses pieds mais il avait du mal à coordonner ses gestes.

L'énorme trappeur revenait sans hâte, croyant la partie gagnée, lorsque soudain une masse lui percuta les reins. C'était John, qui s'était lancé à travers la cour pour se jeter contre lui de tout son poids. Le colosse lâcha encore une fois son couteau, trébucha, mais resta debout. Grondant de colère, il assena un coup derrière lui pour tenter de se débarrasser de l'adolescent qui l'avait ceinturé. La pointe de son coude heurta John au-dessus de l'œil droit avec la force d'une massue. Assommé, celui-ci s'affala, le nez dans la poussière.

Entre-temps MacDonald s'était redressé, mais il n'avait pas encore repris tous ses esprits et restait appuyé, groggy, à la roue de la charrue. Pour la seconde fois, Burton ramassa son couteau.

Le coup de feu le prit complètement au dépourvu. La balle fit gicler la terre à un pas devant lui, heurta sans doute un caillou enterré là et ricocha en miaulant vers le ciel. Burton s'immobilisa.

« Lâchez ça ! Lâchez ce couteau ! »

C'était Esther. Le visage livide, elle tenait en tremblant la carabine de son mari pointée vers Burton lequel, à cette distance, n'en menait pas large. Il laissa tomber le couteau en hurlant : « Ne tirez pas ! » Cette femme, il en était sûr, n'hésiterait pas une seconde à le prendre pour cible.

MacDonald, à peu près remis, se dirigea vers son épouse en faisant un large détour à la fois pour éviter Burton et pour ne pas se trouver dans la ligne de mire de la carabine. Il secoua la tête une fois ou deux comme pour s'éclaircir les idées et, lorsqu'il arriva près d'Esther, elle vit qu'une énorme bosse bleuâtre se formait au-dessus de son oreille droite.

« Occupe-toi de John », lui souffla-t-il en lui prenant l'arme des mains. Il agita la pointe du canon en direction de Burton. « Reculez un peu », ordonna-t-il.

Le trappeur recula de dix ou douze pas puis s'arrêta. Son visage était livide et il respirait avec difficulté.

En voyant ses yeux jeter des regards furtifs à droite et à gauche, MacDonald, ébahi, se rendit compte que le colosse était en proie à une terreur presque hystérique.

John revenait à lui. Lorsque Esther arriva près de son fils, il s'était remis sur son séant et elle l'aida à se relever. Un bras passé autour de lui, elle le soutint jusqu'à la véranda, à couvert derrière MacDonald. Celui-ci s'avança alors à trois mètres de Burton, la carabine à la hanche, la gueule du canon posément pointée sur la poitrine massive du trappeur. Sa voix, lorsqu'il rompit enfin le silence, était froide, implacable, lourde d'une menace mortelle.

« Ne dites rien, Burton. Contentez-vous d'écouter. Je vis dans la crainte de Dieu et je déteste la violence, mais je vous jure – le Ciel m'en soit témoin – que si jamais vous remettez les pieds sur mes terres, je vous tuerai. »

Burton se passa la langue sur les lèvres et un tic nerveux agita plusieurs fois sa joue droite, mais il ne dit rien. L'homme qui se tenait devant lui ne parlait pas à la légère, cela crevait les yeux. Après un silence, MacDonald continua :

« Je veux que vous disparaissiez d'ici, Burton. Je veux que vous quittiez ces terres et ce pays. Vous avez acheté la propriété d'Edgar Cecil pour trois mille dollars. Depuis que vous l'occupez, elle est retournée en friche, mais je vous en donne le prix que vous l'avez payée. L'argent sera demain chez Doc Simpson et vous pourrez passer le prendre. Vous lui donnerez l'acte de vente et les titres de propriété. Il fera les papiers à mon nom et vous les signerez. Vous n'avez pas le choix. Je vous donne trois jours pour faire vos bagages et décamper. Si au bout de trois jours, vous êtes encore là, j'irai vous chercher et, faites-moi confiance, quand je vous trouverai, je vous tuerai ! Maintenant remontez sur votre cheval et partez d'ici. »

D'un pas tout d'abord hésitant, Burton recula. Mais la peur lui donna bientôt de l'élan, et il courut jusqu'à son cheval qui se tenait à une trentaine de mètres. Il bondit en selle et talonna la bête qui partit au galop, tandis qu'il se couchait sur l'encolure comme s'il craignait encore qu'une balle ne le rattrape. Il savait bien qu'il venait de regarder la mort en face et, tout colosse qu'il fût, il n'avait pas, il n'avait jamais eu de vrai courage.

MacDonald suivit le cavalier du regard jusqu'à ce qu'il soit avalé par la distance et les vallonnements de la piste, puis il baissa le canon de son arme et son dos se voûta. Il retourna lentement vers Esther et John, toujours debout là où il les avait laissés. Sa femme courut à sa rencontre, encore en proie à la frayeur, et lui saisit le bras comme il s'arrêtait devant elle. Il se pencha pour l'embrasser sur le front.

« N'aie pas peur, ma chérie, murmura-t-il. Il n'y a plus rien à craindre maintenant. »

Mais il fallut d'abord que, de ses doigts tremblants, elle ouvre la chemise de son mari et s'assure que sa blessure n'était qu'une entaille superficielle pour que la peur cesse de la tenailler. Elle se laissa enfin aller contre lui.

John les rejoignit et MacDonald sourit en lui mettant une main sur l'épaule.

« Esther, nous avons désormais un deuxième homme dans la maison, dit-il. Va récupérer ce couteau, John. Il est à toi. » Puis, une ombre d'inquiétude passa dans ses yeux et il demanda : « Où sont les filles ? »

Esther eut un petit rire nerveux :

« Dans leur chambre, et je ne serais pas surprise qu'elles soient sous le lit. Je les y ai envoyées quand je suis rentrée prendre la carabine. Elle frissonna. Est-ce que tu te rends compte qu'à part quelques vieilles bouteilles, c'est la première fois que je tire sur une vraie cible ? »

Il se dérida.

« Après toutes ces années, tu arrives encore à m'étonner ! »

Elle sourit à son tour, mais reprit aussitôt sur un ton soucieux :

« Rentrons, que je puisse nettoyer et panser cette blessure.»

Il fit non de la tête et dit à mi-voix :

« Ben d'abord. Le pansement peut attendre. Occupons-nous du petit. »

Ben était toujours assis au coin de la maison, et caressait la tête de Mère Blaireau posée sur ses genoux. Des larmes coulaient sur ses joues mais il ne sanglotait plus. MacDonald s'accroupit devant lui, Esther fit de même. Le fermier caressa l'épaisse fourrure brune et grise. C'était la première fois qu'il touchait la bête. Elle était encore chaude, ses yeux étaient entrouverts et vitreux. Sur sa hanche, les longs poils étaient englués de sang là où la première balle l'avait éraflée ; une tache écarlate sur son flanc droit, une autre sur la gauche, indiquaient l'entrée et la sortie de la seconde balle.

« Nous t'aiderons à l'enterrer, fiston », dit-il.

Pour la première fois depuis qu'il était là, Ben changea de position. Il reposa doucement la tête de sa vieille compagne sur le sol et se mit à genoux.

« Non, dit-il. J'irai l'enterrer tout seul. Là-bas. »

Il fit un geste vers la Prairie.

Son père était sur le point de dire non, mais Esther l'arrêta d'une main posée sur son bras. Il hocha la tête.

« D'accord, Ben, répondit-il. Si tu as besoin de nous, tu sais où nous trouver. »

Ben les regarda entrer dans la maison. Alors John s'approcha, le couteau de chasse de Burton à la main. Il ne savait pas trop quoi dire et, pour finir, bégaya :

« Je suis... On est tous désolés, Ben. Tu veux que je te donne un coup de main ? »

Ben secoua la tête.

« Tu veux ce couteau, pour creuser ?

— Non ! (Ben avait presque crié et il le regretta aussitôt.) Non, répéta-t-il à voix basse. Je veux pas de ce couteau. Je vais me débrouiller. »

Comme son petit frère ne disait plus rien, John le laissa et monta sur la véranda. Avant d'entrer dans la maison, il se retourna et dit :

« Je suis vraiment désolé, Benjy. »

Cela faisait presque un an qu'il n'avait pas utilisé ce surnom ; Ben leva les yeux et lui sourit, touché sans trop savoir pourquoi. Son sourire s'évanouit après que John fut entré. Il contempla le corps inerte de Mère Blaireau et de nouveau ses yeux s'emplirent de larmes. Des sanglots irrépressibles le secouèrent. Il s'essuya les yeux de la paume de la main, mais ils se remplirent aussitôt. Il se pencha et, du bout d'un doigt, ferma un œil de son amie, puis l'autre.

Tout près de lui, au bord de la longue plate-bande fleurie que sa mère cultivait devant la maison, il y avait une petite truelle de jardinage plantée dans la terre noire. Il la prit, la nettoya sommairement et la glissa dans sa ceinture. Toujours à genoux, il glissa ses mains sous le ventre de Mère Blaireau et tenta de la soulever mais, embarrassé par sa taille autant que par son poids, il n'y réussit pas.

Alors, très doucement, il la tourna sur le dos, lui entoura les épaules d'un bras et la redressa comme pour l'asseoir. Puis il passa son autre bras sous son arrière-train et parvint à la soulever contre lui comme un bébé qu'on berce. Elle n'était pas beaucoup plus petite que lui, et à peine moins lourde, de sorte qu'il eut beaucoup de mal à se hisser sur ses jambes.

Titubant sous le poids de son fardeau, il avança d'un pas incertain. Il commença par suivre la clôture du corral, comme il l'avait fait en partant le jour où il s'était perdu. Il avait décidé de la ramener au terrier et de la déposer dans la chambre souterraine. Il bloquerait le boyau de secours de l'intérieur et, après être ressorti par le tunnel principal, il le condamnerait à son tour. Et peu importe s'il se perdait à nouveau. Il s'en fichait. Il se fichait de tout maintenant. Une ou deux fois, tandis qu'il avançait péniblement, un jacassement plaintif monta de sa gorge.

À mi-chemin de la clôture, il se rendit compte qu'il n'y arriverait pas. Déjà ses forces le trahissaient et jamais il ne pourrait la porter jusqu'à la tanière, même en supposant qu'il retrouve l'endroit du premier coup. Il pleurait de nouveau, plus fort ; il pleurait d'impuissance autant que de chagrin.

À travers ses larmes, il aperçut l'angle sud du corral. C'était là qu'il avait levé la poule sauvage qui s'était enfuie affolée, l'aile basse, en boitant, pour l'entraîner loin de son nid... sur ce chemin où il avait fini par rencontrer la compagne qu'il tenait maintenant dans ses bras. Il pourrait aussi bien l'enterrer ici, après le dernier pieu de la clôture, sur la pente sud de Hawk's Hill.

Il parcourut les derniers mètres en trébuchant à chaque pas, et il eut toutes les peines du monde à s'agenouiller sans tomber pour la déposer dans l'herbe avec précaution. Encore essoufflé, il se mit à creuser sans attendre mais soudain, laissant tomber la truelle, il se jeta de tout son long sur le sol et enfouit son visage dans le ventre doux de la femelle inerte. Il pleurait comme un bébé, à longs cris spasmodiques, et tout son corps menu était secoué de sanglots déchirants.

À la longue, il finit par se calmer un peu et, pour

reprendre souffle, il tourna la tête, de sorte qu'il avait maintenant sa tempe contre le ventre duveteux. Alors son corps tout entier se figea et il s'arrêta même de respirer. Pressant son oreille contre le corps flasque, il se boucha l'autre d'une main pour entendre mieux.

C'était *impossible* ! Et pourtant il l'entendait. Rapide, presque imperceptible, c'était bien un battement de cœur. Mère Blaireau était encore vivante !

Il releva la tête et la regarda. Ses yeux s'étaient rouverts. Pas complètement, juste un peu, mais ils étaient ouverts. Il contint à grand-peine une explosion de joie et, tandis qu'il reprenait espoir, il s'en voulut de n'avoir pas senti plus tôt qu'elle était vivante. Lorsqu'il avait enfoui son visage dans la fourrure délicate de son ventre, sa peau était chaude, et non pas tiède ou froide comme elle aurait dû l'être. Il aurait dû comprendre !

Il bondit sur ses pieds et courut vers la maison, mais s'arrêta presque aussitôt pour revenir vers elle. Il ne pouvait pas la laisser seule, comme ça. L'espoir redoublant ses forces, il la reprit dans ses bras et repartit d'un pas titubant. Et, enfin, il retrouva sa voix.

« Papa ! Papa ! Viens m'aider ! Papa ! »

Il appelait encore quand la famille tout entière sortit de la maison. Tous se mirent à courir vers lui, John et son père distançant rapidement les autres. Ce dernier était torse nu et un bandage d'une blancheur immaculée lui barrait le ventre.

Ben, la voix entrecoupée de sanglots de soulagement,

hors d'haleine et chancelant sous son fardeau, se lança dans des explications désordonnées :

« Elle est vivante... P'pa... John... son cœur... Je l'ai entendu... elle est chaude... il bat, son cœur... vivante... *vivante !* »

Il trébucha devant eux et John eut juste le temps de l'empêcher de tomber en avant avec sa charge. Son père recueillit la bête dans ses bras avec précaution et l'emporta vers la maison à grands pas, accompagné de Ben qui dansait autour de lui dans un état d'excitation extrême. En rejoignant Esther et les filles qui arrivaient, William hocha la tête d'un air convaincu.

« Elle est vivante, il n'y a pas de doute. Elle vient de cligner des yeux. Tu vas avoir un autre blessé à soigner, Esther. »

Il plaisantait à peine en disant cela, mais ce fut quand même lui qui s'occupa de la mère blaireau. Il la coucha sur un drap propre plié en quatre, demanda de l'eau bouillie et des désinfectants qu'on lui apporta aussitôt, et appliqua des compresses humides sur ses blessures avec une douceur remarquable. Le trou d'impact avait le diamètre de la balle, ce qui était assez normal ; en revanche, elle avait laissé un orifice à peine plus large en sortant, ce qui était surprenant, et d'assez bon augure. MacDonald expliquait cela tout en s'affairant.

« Les plaies sont propres. La balle n'a fait qu'entrer et sortir. Ça ne veut pas dire grand-chose. Mais en tout cas, elle n'a pas touché d'os. » Il écarta les lèvres de la plaie, en inspecta l'intérieur avec soin, approcha son nez.

« Ça ne sent pas mauvais. Les intestins doivent être intacts aussi. Ça, c'est inespéré. Elle a peut-être une chance de s'en sortir. Peut-être. »

Il utilisa du whisky comme antiseptique, mais comme elle semblait réagir assez mal à la morsure de l'alcool, il renonça à désinfecter plus en profondeur.

« Pas la peine d'insister plus, marmonna-t-il. Elle a déjà été assez choquée comme ça. On va bien nettoyer autour, et ça ira. Allez me chercher mon rasoir. »

Ben fit l'aller et retour au galop, tendit le rasoir à son père et, fasciné, le regarda tailler un cercle de dix centimètres dans la fourrure autour de chaque plaie, les nettoyer encore avec une compresse imbibée de whisky, puis les recouvrir d'une pommade antiseptique. Enfin, il disposa une compresse propre sur les blessures, qu'il fixa fermement, mais sans serrer, avec de longs bandages qu'Esther avait apportés à sa demande. À la fin de l'opération, la mère blaireau ressemblait plus à une momie qu'à une bête sauvage. William nettoya aussi l'éraflure qu'elle avait sur l'arrière-train et y appliqua de la pommade, mais sans la bander. Puis il la souleva avec précaution et, toute la famille sur les talons, l'emporta dans la chambre qu'elle partageait avec Ben. Elle poussa un long soupir un peu asthmatique à l'instant où il la déposa sur la couverture au pied du lit.

Il allait se relever lorsqu'il sentit une petite main se poser sur son bras. Il se retourna, un genou encore sur le plancher. C'était Ben.

« Papa, dit le petit garçon en hésitant, tu crois qu'elle va guérir ? »

MacDonald eut soudain l'envie brûlante de dire oui, de se montrer confiant et optimiste pour consoler Ben. Le gamin avait déjà subi tant d'épreuves... À quoi bon augmenter ses tourments ? Mais il secoua la tête, l'air incertain. Mieux valait, à ce moment-là plus qu'à tout autre, être totalement honnête avec lui. Il tendit le bras et posa sa main sur l'épaule de son fils.

« Franchement, mon petit, ça m'étonnerait. Je ne vois pas comment elle pourrait survivre à ce coup de fusil. Même si la balle n'a pas endommagé d'organes vitaux – et ça, nous n'en savons rien – elle peut encore mourir des suites du choc qu'elle a subi. Il arrive que les animaux, les gens aussi d'ailleurs, survivent à des blessures terribles ; alors il y a peut-être un petit espoir. Mais il ne faut pas trop compter là-dessus. Ça fait peine à dire, mais honnêtement je ne crois pas qu'elle passera la nuit. »

La lèvre de Ben se mit à trembler, mais il ne dit rien. Son père lui pressa l'épaule, regrettant de ne pas trouver les mots qu'il aurait fallu pour faire comprendre à un petit garçon de six ans que la vie est une chose terriblement fragile et que la mort, aussi douloureuse qu'elle soit, fait partie de la vie ; et que prendre conscience de cela, et l'accepter, fait partie de ce qu'on appelle grandir ; mais que ce n'était jamais facile, pour personne.

« J'espère qu'elle survivra, Ben », ajouta-t-il à mi-voix. Mais c'était tout ce qu'il pouvait dire.

Ben hocha la tête et, bien qu'il y eût dans ses yeux une

profonde détresse, il regarda son père droit bien en face. MacDonald comprit soudain – il en fut presque choqué – que l'enfant avait parfaitement entendu tous ces mots qu'il n'avait pas su prononcer. Car il ouvrit lentement ses lèvres tremblantes et, d'une voix mal assurée, murmura :

« Si elle... meurt... est-ce que tu m'aideras à l'enterrer... Papa ? »

Les yeux de MacDonald s'embuaient à leur tour et sa main, quittant l'épaule de Ben, enserra tendrement la nuque du petit garçon. Alors, sans même s'en rendre compte, il trouva exactement les mots qu'il fallait.

« Bien sûr, Ben. Si elle ne guérit pas, et si tu es d'accord, nous l'emporterons ensemble là-bas, où tu vivais avec elle, et nous la laisserons dans sa tanière, chez elle, pour son dernier sommeil. »

De nouveau, un flot de larmes silencieuses inonda les joues de Ben et, pendant un long moment il regarda son père, partageant avec lui un lien nouveau, un lien qu'il n'avait jamais imaginé possible. MacDonald se taisait, et ce silence mutuel était leur premier vrai dialogue.

Alors, d'un seul mouvement, Ben se jeta dans ses bras. Entourant le cou de son père de ses bras fluets, il se mit à sangloter éperdument. Et il serrait, il serrait si fort que William MacDonald avait bien du mal à reprendre son souffle. Mais ça n'était pas grave.

Il venait enfin de retrouver son fils.

Composition JOUVE - 53100 Mayenne
N° 292739a
Imprimé en Italie par G. Canale & C. S.p.A. - Borgaro T.se (Turin)
mars 2004 - Dépôt éditeur n° 44035
32.10.1850.0/08 - ISBN : 2.01.321850.8
Loi n° 49-956 du 16 juillet 1949 sur les publications destinées à la jeunesse
Dépôt légal : mars 2004